BESTSELLER

Albert Espinosa (Barcelona, 1973). Actor, director, guionista e ingeniero industrial. Es creador de las películas *Planta 4.ª*, *Va a ser que nadie es perfecto*, *Tu vida en 65'* y *No me pidas que te bese porque te besaré*. Asimismo, es creador y guionista de la serie *Pulseras rojas*, basada en su libro *El mundo amarillo* y en su lucha contra el cáncer, y de la serie *Los espabilados*, inspirada en su libro *Lo que te diré cuando te vuelva a ver*.

El total de su obra literaria se ha publicado en más de 40 países con más de 2.500.000 ejemplares vendidos en todo el mundo.

Para más información, visita la página web del autor:
www.albertespinosa.com

También puedes seguir a Albert Espinosa en Facebook, Twitter e Instagram:

 Albert Espinosa
 @espinosa_albert
 @albertespinosapuig

Biblioteca
ALBERT ESPINOSA

Finales que merecen una historia

DEBOLS!LLO

Penguin
Random House
Grupo Editorial

Primera edición en Debolsillo: marzo de 2020
Séptima reimpresión: mayo de 2022

© 2018, Albert Espinosa Puig
© 2018, Vero Navarro, por las ilustraciones de la cubierta e interiores
© 2018, 2020, Penguin Random House Grupo Editorial, S. A. U.
Travessera de Gràcia, 47-49. 08021 Barcelona
Diseño de la cubierta: Penguin Random House Grupo Editorial
Fotografía de la cubierta: © Vero Navarro

Printed in Spain – Impreso en España

ISBN: 978-84-663-5037-2
Depósito legal: B-456-2020

Compuesto en Comptex & Ass., S. L.

Impreso en Gómez Aparicio, S. L.
Casarrubuelos (Madrid)

P 3 5 0 3 7 B

*Dedicado a todos los
que aceptan sus miedos.*

*Dedicado a todos los miedos
que desaparecen tras ser aceptados.*

*Dedicado a los que jamás se miran
en el espejo ni tampoco el ombligo.*

*Dedicado a los que utilizan los
sentimientos como moneda de pago.*

Índice

Prólogo

Siempre trabajo con finales, sea en cine, en televisión, en teatro o en libros. Los finales me encantan. Un buen final merece una historia, siempre lo he creído.

Me encantan los relatos, las historias pequeñas de tres a ocho páginas, que te hacen pensar, reír, llorar o emocionarte. Un buen relato puede alegrarte un mal día porque las historias pequeñas en ocasiones resumen un gran sentimiento que reside en nuestro interior y que se convierte en nuestra mejor medicina.

Me encantaría que estos relatos fueran terapéuticos y os ayudaran con alguna emoción estancada. Desearía que os sintierais acompañados, cuidados y queridos en cada página. Todos los personajes pertenecen a mi mundo. Son personas amarillas. AMAR

Y YA. Y es que el secreto de este mundo es amar. Y todos estos personajes desean hacerlo. Algunos lo logran y otros no.

Antes de cada relato encontraréis unas citas en forma de introducción que no son mías, sino de una mujer muy especial que conocí cuando ella tenía noventa y cuatro años y que me educó para ser valiente en la vida. Creo que es justo que os traspase su filosofía tan especial que marcó mi adolescencia. Y en la misma página he colocado una frase célebre de maestros que ya han desaparecido, pero cuyas reflexiones me producen una emoción semejante a ese final que merece una historia.

Solamente en dos relatos, «Chicos que soñamos batallas» y «El rugido del León», he puesto mis reflexiones personales. Son historias tan cercanas que quería introducirlas yo mismo.

Ha sido difícil elegir estos relatos porque deseaba que fueran especiales, que estuvieran relacionados entre ellos y que tuvieran un aroma propio que los hiciera únicos. Ha sido como crear un CD. Tenía muchos finales que merecían una historia y dejar casi la mitad fuera ha sido doloroso. Pero no todos podían estar, sólo unos pocos de los cientos que he escrito durante estos últimos años podían ser los elegidos.

He escogido estos veinte porque existe una conexión entre todos ellos. No os quiero adelantar nada, pero creo que cuando los leáis notaréis la relación que hay entre ellos y cómo supuran una energía especial. Este libro tiene parte de mí. Muchos relatos son experiencias que me han pasado o me han contado. Jamás escribo un final si no lo he vivido o no me lo han relatado de primera mano durante horas para entenderlo a la perfección.

Y es que los finales deben comprenderse bien. Al fin y al cabo, todos nosotros tendremos un final que debemos conseguir que esté a la altura de nuestra historia.

Yo creo que mi final será dentro de pocos años. El médico que me operó de pequeño me dijo que cuando llegase a mis cincuenta, debido a las muchas sesiones de quimio que me habían dado, mi edad sería equiparable a los ochenta o los noventa de cualquier otra persona. Ahora tengo cuarenta y seis y sé que mi final estará cerca, por ello lo vivo intensamente cada día. A los cincuenta me retiraré de escribir: me quedan cuatro libros y cada uno de ellos tendrá un sentido en mi vida.

Saber cuándo llegará tu final es una recompensa enorme, siempre he creído que he tenido una vida increíble. He perdido una pierna, un pulmón y parte del hígado... He perdido amigos, amarillos, pulseras, compañeros de habitación, luchadores de vida... Pero he ganado comprender desde muy pequeño el sentido de este universo gracias a los finales de esas personas especiales que he conocido y que están a la altura de su historia.

Siempre que escribo finales recuerdo a quienes he visto marchar y han marcado mi sonrisa, mi optimismo y mi vida. Porque nadie, al irse, está triste; todos sonríen, porque descubren su verdad.

Dentro de esta colección de relatos encontraréis mis historias favoritas. Amo a Ben, el niño que quería saber cuál era su regalo de Navidad y acaba descubriendo la verdad sobre este mundo. Al payaso que porta demasiado dolor y busca encontrar su final épico para que desaparezca ese sentimiento. Y también tendrás el final del verdadero León, que en su día dio mecha a toda esa bella aventura que fue *Pulseras rojas*.

Y aunque me da mucha vergüenza, también publicaré el único relato que escribí cuando aún tenía cáncer y no sabía si lo superaría. Fue lo primero que creé. Lo he puesto cerca de «El rugido del León» porque no deja de ser el inicio y el final de un sexenio importante de mi vida.

Y es que la vida funciona en forma de sexenios.

Deseo contaros esta teoría que aprendí en el hospital y que pienso que es el gran secreto para ser positivo cuando la vida te golpea con fuerza y que me regaló esa dama de noventa y cuatro años a la que adoré.

Ella es la persona que encontraréis en el relato «Lo que perdimos en el fuego renacerá en las cenizas», que también es el subtítulo de este libro.

Ella me enseñó que «Todo en esta vida se compone de ciclos de seis años que empiezan y acaban con una enorme pérdida o una gran ganancia».

Me hizo comprender que la vida es aprender a perder lo que ganaste. A amar esos finales. Y siempre lo remataba con esa frase: «Lo que perdimos en el fuego renacerá en las cenizas».

Era tan sabia... La perdí con noventa y cuatro años. Fue su último sexenio. Y coincidió con el inicio de mi primer sexenio de vida adulta. Y es que los sexenios de aquellos a los que amas te contagian y te modifican.

Gracias a ella sé que cada seis años ese fuego destruirá cosas y en esas cenizas renacerán otras.

Puedes negarlo o aceptarlo. Yo lo he aceptado. Cuando se acercan esos días clave de esos años puente, me preparo para que no me pillen desprevenido y así saber transformar las pérdidas en ganancias.

Espero que disfrutéis mucho con estos finales que merecen una historia y también con esas frases que inician cada cuento y que pertenecen a una de las mujeres más sabias de este mundo.

Estas historias no dejan de ser casi como películas, es por ello que antes de cada relato encontraréis unos bellos e increíbles pósters sobre cómo podría ser el cartel de ese film. Os he de decir que uno de estos finales pronto lo podréis ver convertido en una película.

Nos vemos en el epílogo.

ALBERT ESPINOSA
Barcelona, octubre de 2018

UNA PELÍCULA DE ALBERT ESPINOSA
GREAT AWARD
WINNER
2018
WINNER
GREAT AWARD
2018
FIRST AWARD
WINNER
2018
MAR
DE PIELES
ARTIFICIALES

«CRECER ES CONVERTIRTE EN LO QUE
NO CREÍAS SER. NO CREZCAS NUNCA.
EL MUNDO ES EL PATIO MÁS GRANDE
QUE EXISTE, DISFRÚTALO.»

LA DAMA DE 94 AÑOS

«FELICIDAD NO ES HACER LO QUE UNO QUIERE,
SINO QUERER LO QUE UNO HACE.»

JEAN-PAUL SARTRE

No había Nochebuena que el matrimonio Hunting no celebrase con una gran fiesta. Les encantaba invitar a amigos y preparar un cóctel. Pero la Navidad de 1929 fue especial.

El pequeño Ben, de seis años, estaba en la cama, con su pijama de triángulos y estrellas, soñando con los regalos que le traería Papá Noel. Su madre intentaba que se durmiese antes de la llegada de los invitados. El niño no paraba de preguntar: «¿A qué hora llega Papá Noel? ¿Se acordará de lo mío?».

Pregunta tras pregunta se quedó dormido. Sus padres cerraron la puerta y se fueron al salón. Diez minutos después, Ben se despertó y le surgieron más dudas: ¿Habría llegado ya Papá Noel? Pensó que, si tenía que repartir tantos regalos, quizá pasase antes por otras casas.

Sigilosamente, fue a cada una de las habitaciones para ver si ya había llegado. La última que revisó fue la de sus padres, pero no encontró nada. Se tumbó en su cama y se quedó dormido.

Su cuerpo se movía al ritmo de la canción *Jingle Bells*, que resonaba desde la cocina donde sus padres estaban preparando el banquete.

Ben dormía mientras los primeros invitados llegaron. La madre cogió el primer abrigo, que era de visón, y lo llevó a su habitación. Ni tan siquiera encendió la luz, sólo lo lanzó sobre la cama. Ben emitió un sonido de felicidad, le encantaba que su madre le cubriera con una manta.

Fueron llegando más visitas y, con ellas, más abrigos, chaquetas y gabardinas que fueron cubriendo la cama y dejando a Ben enterrado en un mar de pieles artificiales.

Al rato, Ben se despertó, notaba mucho calor. Abrió los ojos: estaba oscuro. Tuvo la misma sensación que cuando fue de acampada y notó aquella lona tan cerca de su cabeza. Aunque ahora el techo estaba justo encima de su barbilla y olía a perfume caro. Ben estiró los brazos, pero la montaña de abrigos era enorme. Se sentía aprisionado. Del salón llegaban los acordes atenuados de *Silent Night*.

Ben se puso a chillar; gritaba «mamá», «papá» y hasta le salió un «abuela», aunque ésta había muerto hacía seis meses.

Sus gritos eran potentes, pero las capas de ante, cuero y plástico impermeable los amortiguaban y los convertían en pequeños susurros. Cuando dejó de gritar, se puso a llorar; eran lágrimas de pánico, peores todavía que las de aquel día que se perdió en aquellos grandes almacenes. Su respiración comenzó a entrecortarse y de golpe se quedó quieto. Instintivamente se dio cuenta de que necesitaría todo el aire que quedaba entre aquellos abrigos.

Los minutos pasaron, los villancicos se mezclaban con las carcajadas. La fiesta era un éxito. *Silent Night* sonaba de fondo. Ben movía los labios al ritmo del villancico, era el único gasto de energía que se permitía.

De golpe, la puerta se abrió. Y oyó entrar a dos invitados. Gritó, pero no le oyeron. Las dos personas se sentaron en la cama. Les oía susurrar: «Hagámoslo aquí»; «No, puede venir mi marido». Ben reconoció la voz de su padre y de la señora Whitman. Ella siempre le acariciaba la cabeza de una forma extraña cuando le veía. Ben intentó sacar su mano, pero era como cavar un túnel imposible bajo aquel mare-mágnum de ropa. Con mucho esfuerzo lo consiguió. Notó el exterior y sus dedos tocaron lo que pensó que era un brazo. De golpe oyó una bofetada y un comentario: «No me toques, prometiste que te separarías antes de Navidad».

Se oyó un portazo. Oyó la respiración de su padre. Y un segundo portazo.

Ben notó entonces como un sueño denso y desconocido se apoderaba de él. No era ni cansancio ni agotamiento, era algo diferente. Sus párpados se cerraron a la vez que su manita volvía al calor bajo la mole de ropa. Sonaba *Adeste Fideles* cuando cerró totalmente los ojos.

La fiesta fue decayendo, los invitados empezaron a marcharse y a recoger sus abrigos. Como un leve goteo, se despidieron y alabaron al hijo tan tranquilo y educado que no había aparecido por la fiesta en toda la noche.

Los últimos en irse fueron los Chambers; ellos mismos decidieron ir a por sus abrigos, no encendieron las luces, los cogieron y se marcharon. Ben quedó al descubierto, pero no se movía.

Cuando se quedaron solos, el matrimonio Hunting decidió que ya recogerían al día siguiente. Al entrar en su habitación encontraron a Ben en su cama. Sonrieron, sabían cuánto le gustaba al niño dormir allí. Su madre lo cogió en brazos y lo llevó a su cuarto; intentó hacer poco ruido, aunque Ben parecía completamente dormido.

Pasó la noche y, hacia las doce del mediodía, el matrimonio Hunting se despertó extrañado. Otros años, Ben aparecía a las siete gritando y solicitando ver sus regalos.

Fueron a su cuarto, lo tocaron, pero el niño no despertaba. Los dos se asustaron, habían oído tantas historias de niños que mueren mientras duermen... El mediano de los Hamilton falleció así.

El padre subió la persiana, estaba nevando. La madre cogió al niño en brazos y gritó su nombre: «¡Ben, Ben, Ben!».

Al tercer «Ben», el niño abrió los ojos. Miró a sus padres, pero no dijo palabra.

El padre y la madre sonrieron, sólo había sido un susto. Le dieron su primer regalo. Él lo abrió lentamente, sus manos temblaban.

Vio que era una cazadora para el invierno. Una cazadora de pana que olía a nueva y que le protegería del frío. Y entonces Ben, ante aquella prenda, lloró como nunca antes lo había hecho, pero jamás contó nada de lo que ocurrió aquella Navidad en la que tanto creció.

Al día siguiente, la madre devolvió la cazadora y la cambió por un bate de béisbol.

UNA FURTIVA LÁGRIMA

UNA PELÍCULA DE **ALBERT ESPINOSA**

«AMA U ODIA, PERO SIENTE; ES LO ÚNICO QUE VALE
LA PENA EN ESTE MUNDO, TRAFICAR CON SENTIMIENTOS.
Y SIEMPRE ROMPE A REÍR O A LLORAR, VALE LA PENA
HACERSE AÑICOS POR ESTAS DOS EMOCIONES.»

LA DAMA DE 94 AÑOS

«HAY HERIDAS QUE, EN LUGAR DE ABRIRNOS
LA PIEL, NOS ABREN LOS OJOS.»

PABLO NERUDA

No recuerdo cuál fue el año exacto en que se publicaron las cifras reales de suicidios en el mundo. Diría que fue en diciembre de 2029 o de 2030 y eran tan elevadas que todo el planeta se escandalizó.

Lo que sí recuerdo fue el primer suicidio que presencié. Yo tenía doce años, por aquella época mi madre todavía me llamaba «Furtiva». Le gustaba mucho el aria *Una furtiva lagrima* de Gaetano Donizetti. La escuchaba a todas horas.

Mi madre murió hace años rodeada de los suyos y de manera muy pacífica. Pero eso no hizo que no me doliese. Creo que, aunque la muerte sea dulce y perfecta, en el fondo siempre es dura e irreal para los que se quedan.

Pero volviendo al día que vi mi primer suicidio, recuerdo que estaba con mi madre en el parque. De repente, fue como si algo nos llamara y miramos hacia arriba. Y aquella mujer, que vestía una bata, cayó a toda velocidad. No sé si saltó de un decimoquinto piso. Yo tuve la sensación de que caía de la mismísima Luna.

El golpe fue brutal, mi madre corrió hacia mí y me tapó los ojos con sus manos. Ya era tarde, lo había visto todo y quedó grabado para siempre en mi memoria. Con los años nadie más ha vuelto a intentar protegerme con ese gesto de las desgracias que he visto y vivido. Pero ¿acaso alguien en el mundo se preocupa tanto por ti como tu madre...?

A los pocos segundos mi madre se acercó a la mujer; me pidió que no abriera los ojos, pero no le hice caso. Era una señora muy mayor en bata. En su rostro había una extraña sonrisa, no sé si ya la tenía cuando saltó o era por el desencaje de su mandíbula tras el tremendo golpe contra el suelo.

De uno de los bolsillos de la bata sobresalían joyas y del otro, billetes. Daba la sensación de que había saltado junto a todo lo que tenía un valor económico en su vida. Era extraño, sólo dinero y joyas la acompañaban en su muerte.

Recuerdo la frase de mi madre: «¿Por qué lo habrá hecho si tenía la vida solucionada?». Y jamás olvidaré lo que hizo después. Cogió unos cuantos billetes y unos collares y se los guardó. Sé por qué lo hizo; en casa no teníamos nada y aquel dinero cambiaría nuestra vida. Realmente lo mejoró todo. A partir de ese instante se acabaron los problemas económicos y todo fue viento en popa.

Pero también aquel hecho fue el que marcó emocionalmente mi infancia y la razón por la que ejerzo la profesión que elegí.

Tampoco recuerdo bien cuál fue el año en que se aprobó el suicidio. Diría que hacia 2040. Nadie se escandalizó. Fue algo natural decidir sobre tu muerte cuando tanta gente ya lo hacía sin permiso. Al fin y al cabo, la moral es el gusto colectivo.

Pero que se aprobara no significaba que fuese legal en todos los casos, tan sólo lo era si se aceptaba. Y no todo el mundo lograba que se lo aceptaran. Tú explicabas tus razones para dejar el mundo y ellos,

los conciliadores, decidían si te daban permiso para acabar con tu vida.

Yo conseguí mi título de conciliadora en 2073. Estuve casi diez años estudiando para conseguirlo. Eran las oposiciones más complicadas que existían. Necesitabas probar tu equidad, tu inteligencia, tu intuición y tu salud mental. Estudiabas muchas materias, sobre todo «Filosofía Avanzada Aplicada al final de la vida». Así se llamaba la asignatura más difícil impartida por los más sabios del planeta.

Todas aquellas materias tenían como objetivo que alcanzaras la comprensión total. Era importante saber escuchar, aunque lo que te contaran ya te sonara. «Son voces, no ecos», decía un gran maestro que tuve. Y es que ellos querían irse y tú decidías si se lo concedías. Y, para hacerlo, era importante entender lo que les faltaba y lo que poseían.

En cada vista de suicidio estudiabas doce casos a la vez. No sé por qué doce, supongo que en «Cálculo y Álgebra Aplicada al final de la vida» lo explicaron, pero aquella asignatura la aprobé por los pelos.

Cada una de esas doce personas te explicaba por qué deseaba marchar. Aquella razón que le hacía odiar este mundo y desear suicidarse. También tenías un informe detallado de todo lo que poseía económica, familiar y espiritualmente. Todo contaba: creencias, posesiones, amores, amantes, sexo, placer, deseos, injusticia, dolor...

El proceso duraba quince días. Y después tomabas la decisión. Y es que alguno quería marchar por problemas económicos. Otro tenía dinero, pero no salud, y no quería sufrir. Y a los que tenían salud y dinero, les faltaba amor o sexo, hijos, belleza o ilusión. Hay millones de razones por las que alguien puede desear abandonar este mundo y todas son comprensibles.

Mi trabajo se resumía en redistribuir. Escuchaba los doce casos y los redistribuía de manera justa. Quizá cuatro de ellos podían sanar las carencias de los otros ocho. A veces eran diez los que salvaban la vida a dos. Dinero, amor, familia: todo era traspasable para salvar una vida.

He salvado cientos de vidas y he perdido miles. Siempre he intentado encontrar el equilibrio justo.

Y sobre todo he tenido en mente a aquella mujer que cayó desde el cielo. Para mí ésa es la vida que jamás salvé, pero que siempre deseé comprender ya que mejoró la nuestra a nivel económico. Pero ¿qué no poseía ella: amor, familia, ilusión? No sé qué le faltaría, muchas veces me lo he preguntado.

Mi madre lloró aquella noche que la perdimos. Yo no sabía si por el robo que había cometido o por el dolor de ver desaparecer una vida ante sus ojos. Recuerdo que una furtiva lágrima rodó por su mejilla. Yo se lo hice ver. «Mamá, una furtiva lágrima.»

Ése fue el último día que me llamó Furtiva. Aquel mote se evaporó, fue la pérdida que me trajo la marcha de aquella persona.

Y es que los que se van no lo saben o no quieren saberlo, pero siempre hacen que quienes se quedan tengan una nueva pérdida en su alma. Cuántos hijos y nietos de personas a las que concedí el suicidio, después vinieron a por el suyo. No sé si sus parientes habrían cambiado de opinión si lo hubieran sabido.

No sé por qué os cuento todo esto. Supongo que muchos suicidas escriben sus últimas palabras. Todos a los que he concedido la muerte me han enviado cartas antes de marchar. Es como si necesitaran agradecerme mi veredicto. Yo las leo siempre dos veces y luego las adjunto al informe.

Supongo que alguien archivará la carta que estoy escribiendo junto al resto de la documentación. Y es que los doce casos que llevo actualmente tienen fácil solución. Yo poseo lo que las doce personas necesitan.

No recuerdo exactamente cuándo me di cuenta de ello, pero es así. Ninguna de las doce puede salvar a las otras y, en cambio, yo puedo salvarlas a todas.

La máxima de ser conciliador es aceptar que debes salvar el máximo de vidas con todo lo que tienes a tu alcance. Jamás pensé que eso significara sacrificar mi propia vida. Pero estoy preparada. Cuando acabe esta carta, subiré a aquel edificio, escucharé por última vez *Una furtiva lagrima* y me lanzaré al vacío.

Sé que mi madre estaría orgullosa de mí. Sé que eso dará sentido a esa muerte que cayó del cielo. Ella nos salvó, ahora yo salvaré a doce personas.

Una furtiva lágrima corre por mi mejilla. Acabo el informe y lo guardo en el bolsillo izquierdo de la bata nueva que he comprado para la ocasión... Es hora de salvar vidas.

Expediente: 2053/342W
Conciliadora: Furtiva
Vidas salvadas: 12
Vidas perdidas: 1

Quédate conmigo

UNA PELÍCULA DE ALBERT ESPINOSA

«TODA PÉRDIDA ES UNA GANANCIA.
HAS DE SABER QUE VIVIR ES APRENDER
A PERDER LO QUE GANASTE.
POR ELLO, HAZ UNA LISTA DE TODO
LO QUE POSEES EN EL MUNDO Y, CADA INICIO
DE AÑO, TACHA LO QUE HAYAS PERDIDO.
EL DOLOR QUE SIENTAS SE TRANSFORMARÁ EN
GANANCIA SI SABES HACER EL DUELO SUFICIENTE.»

LA DAMA DE 94 AÑOS

«QUIEN NO ALIMENTA SUS SUEÑOS,
ENVEJECE PRONTO.»

WILLIAM SHAKESPEARE

Fue el 23 de agosto de 2012 cuando vi su esquela. Estaba leyendo el periódico y apareció. Me llamó la atención al instante, supe que aquello tenía relación conmigo. Toda la esquela estaba maquetada de manera muy sencilla. Una cruz, un nombre y su profesión: médico.

Hacía catorce años que no había vuelto a oír su nombre. Es increíble cómo habían podido desaparecer aquellas dos palabras que tantas veces había pronunciado en otro tiempo. Él me había salvado la vida.

«Salvado» es la palabra exacta. Aunque no sé si todo el mundo pensaría lo mismo. Me cortó un brazo. Para mí era lo mismo que salvado. Para otros sería «mutilado». Jamás sentí que me mutilara.

Hasta pude diseñar la forma de mi muñón. Recuerdo como si fuera ahora mismo aquel día frío de enero que se sentó en mi cama, me enseñó por dónde me cortaría el brazo y me preguntó cómo quería que fuese mi muñón.

Yo tenía veintiún años, me quedé en silencio, jamás soñé que podría llegar a moldear de aquella manera mi cuerpo. En pocas horas había pasado de conducir una moto a redefinir mi cuerpo. El mundo te depara sorpresas cuando menos te lo esperas. Nada permanece igual. En un segundo salimos de órbita.

Salvó todo lo que pudo de aquel brazo y también me reconstruyó las dos rodillas y el boquete enorme que había en el lado izquierdo de mi cráneo.

El accidente fue culpa mía. Era idiota, no hay excusas. Siempre iba a 170 kilómetros por hora por las autopistas, me encantaba quedarme a un centímetro de los que iban a la velocidad correcta hasta que se apartaban de mi camino. Pero un día no controlé suficiente y choqué.

Después de aquello, todo cambió. Pero os puedo

asegurar que fue para mejor. Recuerdo que, dos semanas después del accidente, se acercó a verme aquella chica. Casi no la conocía, era una vecina silenciosa con la que me cruzaba en el ascensor y que siempre bajaba la mirada ante mi presencia. Me trajo un ramo de rosas. Nunca nadie me había traído un ramo de nada en la vida. Me acarició el muñón cuando hacía catorce días que la gente fingía que no lo veía. Y yo dije la frase que jamás había pronunciado para nadie: «Quédate conmigo».

Creo que no existen dos palabras más bellas en este mundo que «Quédate conmigo». Allá está todo. Solicitar ayuda y desear que alguien te ofrezca amor en forma de compañía.

Soy tan feliz a su lado, aún estamos juntos. Han pasado los años y ahora tenemos tres hijas. Perdí un brazo y gané cuatro seres maravillosos a mi alrededor. Mi vida se truncó para mejor.

Por ello, cuando vi el nombre del médico que me salvó, deseé ir a presentarle mis respetos, aunque sólo fuera uno más de muchos.

Casi no recuerdo su cara. Siempre llevaba puesta

una mascarilla azul porque estaba a punto de operar, pero en cambio sí que recuerdo su colonia. La olí en urgencias cuando llegué, en la operación y también cuando me vino a visitar a la UVI el día después de cortarme el brazo.

Recuerdo que me dijo con cariño: «Izan, notarás el fantasma, el trozo de brazo que no está. No le des importancia y poco a poco desaparecerá, la base es no hacerle caso. El fantasma se alimenta de tu miedo, sin él se desvanecerá rápidamente».

Le hice caso y poco a poco dejé de notar el codo, el antebrazo, la mano y cuatro dedos. El meñique nunca se marchó, aún lo noto y de vez en cuando me da pinchazos y me recuerda que una vez tuve otro brazo.

Y os puedo asegurar que, cuando vi su esquela por primera vez, sentí un enorme pinchazo en el meñique. Supongo que él también le recordaba. Aquello me ratificó que debía ir a presentarle mis respetos.

Cuando llegué al cementerio, en primera fila no había casi nadie. Una mujer de la misma edad de mi médico estaba cerca del féretro y el resto de las personas se encontraban prudentemente alejadas. Casi diría que se habían colocado aleatoriamente para no estar ni cerca de ella ni del féretro. Yo me mantuve mucho más lejos que la mayoría, me sentía un impostor.

Pero cuando acabó la ceremonia, noté otro pinchazo en el meñique y me acerqué a la mujer, sentía que se lo debía. No sabía bien qué le diría, pero necesitaba agradecerle cosas que hizo por mí el que suponía que había sido su marido.

Ella me miró y me sonrió. Era como si me reconociera, aunque no nos habíamos visto nunca. Me abrazó. Yo no supe reaccionar. Me invitó a ir a su casa. No pude negarme, pensé que me había confundido con otra persona.

La acompañé, casi no hablaba, tan sólo sonreía.

Cuando llegamos a su hogar, abrió la puerta y el aroma de aquella colonia volvió a mí. Todo el hogar olía a aquel hombre.

Me invitó a pasar porque me había quedado pa-

ralizado en la puerta ante aquel perfume. Seguidamente me quiso enseñar el despacho de su marido.
Acepté.

Entramos y descubrí que aquel lugar era la zona
cero de aquel olor. Supuse que allí pasaba casi todas
las horas.

Me mostró una pared. Había cientos de fotos col-
gadas y muchos nombres. Fotos y nombres. Fui ob-
servándolas, todas eran personas a las que les faltaba
una parte de su cuerpo. Eran como fotos robadas,
como si alguien les hubiera estado siguiendo cual
paparazzi y les hubiera birlado una instantánea.

Me señaló un rincón. Y allá estaba yo. Mi nombre, Izan, y una foto con mi mujer y mis tres hijas.

Ella volvió a sonreírme. Y finalmente habló:

—Siempre os vigilaba, os cuidaba. Decía que vosotros teníais vuestros fantasmas, la parte del cuerpo
que no existía y que él os había arrebatado... Pero
él también tenía sus fantasmas, las partes que seguían
vivas, el resto del cuerpo: vosotros. Quería asegurar-
se de que seguíais bien. Eso calmaba su fantasma, lo

que os había arrebatado. Jamás dejó de vigilaros y de cuidaros.

Volví a mirar aquella sala. Me fascinó. Nosotros éramos sus fantasmas, las partes que continuábamos vivas. Nosotros debíamos olvidar lo que habíamos perdido, pero él jamás había dejado de pensar en lo que quedaba.

Inspiré fuertemente en aquella habitación. Deseaba que aquel olor me acompañara toda mi vida. Pero sabía que cuando me marchase, se esfumaría. Hay olores que lo componen cientos de objetos, un suelo determinado, unas paredes precisas... Aunque lo intentase, no podía llevarme aquel aroma.

No sabía qué más decir, estaba emocionado. Cuando me dispuse a irme, la mujer dijo aquellas palabras que me eran tan familiares y que sólo se pronuncian cuando te sientes solo y quieres dejar de estarlo: «Quédate conmigo».

Y me quedé casi todo aquel día y escuché sus anécdotas.

Me contó que se pesaban cada año juntos en la

misma balanza; cosas de pareja, dijo. También me explicó que cuando su marido dejó de operar se dedicó a la investigación: su gran logro fue descubrir por qué las lágrimas recorren una zona u otra de la cara dependiendo de la emoción y del tamaño del ojo derecho.

Y aquel día lloramos de manera intensa y recorriendo todo el rostro. Y he vuelto cada semana a hacerle compañía... A quedarme junto a ella.

Y de vez en cuando cojo una cámara y sigo a los fantasmas de mi médico porque sé que él querría que así fuera.

Ah, el fantasma del meñique de mi brazo se ha desvanecido. Creo que debíais saberlo.

EL ESPABILADO QUE LEÍA LOS SUBTÍTULOS DE LOS CORAZONES

UNA PELÍCULA DE ALBERT ESPINOSA

«LATE CON FUERZA PARA QUE SEPAN QUE ESTÁS VIVO.
SI NO LO HACES, JAMÁS SERÁS TÚ MISMO.»

LA DAMA DE 94 AÑOS

«EL FUTURO LLEGA A SESENTA MINUTOS POR HORA,
SEAS QUIEN SEAS Y TE DEDIQUES
A LO QUE TE DEDIQUES.»

C. S. LEWIS

Mi cuarto padre adoptivo yacía en el suelo y yo estaba junto a él. Murió triste a mediados de diciembre. Yo no lo estaba, no era mi padre real.

Tengo muchos recuerdos de mi padre real, pero sobre todo me acuerdo de que me susurraba siempre la misma frase antes de dormir: «Si dejas de ser tú mismo por culpa de otra persona, ¿quién serás? Tan sólo lo que desean que seas».

Trabajaba en la construcción y siempre llegaba a casa con el mono lleno de polvo. A cada paso soltaba un montón de partículas, parecía que era invencible y que estaba hecho de cemento.

Pero no fue así; mi padre biológico murió cuando yo sólo tenía diez años. Ahora tengo doce, pero finjo que tengo once. Padre se fue mientras estaba en la cocina preparándome mi plato favorito y fue aquel día cuando descubrí mi don.

Sólo estábamos él y yo. Madre murió al parirme, o eso decía mi padre. Os juro que en sus palabras no había reproches hacia ella. Mi padre fue la persona más honesta que he conocido. Jamás dejó que nadie le arrebatara su sonrisa. Ni el universo, ni la mala suerte, ni su propia muerte.

Su muerte ocurrió un mes de agosto. Padre murió de un ataque al corazón fulminante, dijo el médico. Ese diagnóstico era incompleto. Según mi parecer, mi padre murió de un fallo renal, seguido de un colapso pulmonar y finalmente tuvo un ataque al corazón, pero no fue fulminante, sino pausado. Se marchó sin hacer ruido, fue como si su corazón se desinflase.

No le conté a nadie mi diagnóstico. Yo sólo tenía diez años; los adultos son tan estúpidos, creen que son el centro del mundo por aspirar a tantas cosas y poder practicar sexo. Pero en realidad son más inútiles que los niños. No saben jugar, no saben soñar, no saben hacer nada si no se lucran personalmente.

Pero eso sólo es la opinión de un chaval, no te pido que la compartas y menos si eres adulto. Y supongo que lo que te contaré a partir de ahora te será difícil de creer si además eres un adulto descreído.

Pero el día que mi padre verdadero murió, descubrí que podía escuchar los órganos internos de las personas. Durante aquella media hora que estuvo en el suelo de aquella cocina, mi miedo fue tan intenso que no podía ni moverme. Me quedé a su lado en silencio. Él se iba apagando y yo no podía ni ponerme en pie. Me sonreía, yo estaba tan quieto y tan pendiente de él que, poco a poco, le empecé a sentir...

No sentía sus pensamientos, sino los sonidos de su cuerpo. Fue como si alguien subiera el volumen de su interior. El esófago, el estómago, el corazón y el pulmón comenzaron a emitir a una intensidad tan alta que podía oírlos.

Él me miró y supe que notaba lo que me estaba ocurriendo. Supongo que sentía el interior de mi padre porque el exterior de aquella situación me estaba bloqueando.

Finalmente cerró los ojos, pero su sonrisa permaneció intacta. Los órganos internos fueron dejando de funcionar uno tras otro. Podía oír cómo se apagaban. El último en partir fue su corazón. Y jamás olvidaré su ritmo. Era él. Era su esencia, su olor y su candidez. Todo estaba en ese latido.

Fue en el cuarto hogar de acogida donde entendí que aquello no había sido una experiencia única, sino un don que poseía. Cuando aquel padre adoptivo hijo de puta me rompió el labio de un puñetazo y caí al suelo, volví a escuchar internamente a otra persona. El corazón de aquel cabrón que gozaba abofeteando a niños. Bombeaba de una forma tan violenta que tuve que taparme los oídos.

A partir de aquel día descubrí que podía escuchar cualquier corazón. Y que los corazones son los subtítulos de las personas. El ruido interno de la gente explicaba su forma de ser: lo que harían o lo que no podían pero en realidad deseaban hacer.

Me fue muy útil. Tan sólo escuchaba sus corazones y sabía exactamente a quién acercarme, de quién alejarme o de quién aprovecharme.

Sí, es cierto, os puedo asegurar que cada don trae consigo una perversión y mucha responsabilidad, como dicen los cómics. Pero yo no era responsable, sólo tenía once años, me habían pegado en numerosas ocasiones y deseaba obtener alguna ventaja en este mundo hostil.

Iba a tiendas, buscaba corazones agotados y les robaba la cartera porque sabía que no podían perseguirme. Miraba por la calle y rebuscaba corazones que desearan cosas prohibidas como niños como yo. Me acercaba a ellos y les decía que sabía su secreto. El temblor que provocaba en aquel corazón pervertido me permitía obtener una buena tajada a cambio de no desvelarlo.

Los latidos son los subtítulos para comprender a la gente. Os lo puedo asegurar.

Pero con los meses descubrí que no sólo podía escuchar los corazones, sino que también podía bajar sus latidos murmurando yo su propio sonido; era como si los domara.

No fue fácil conseguir depurar aquella técnica. Cada día la probaba. Era fácil bajarlos unas pocas pulsaciones, pero yo deseaba conseguir pararlos totalmente. Había que practicar mucho. Al fin y al cabo, para que un niño camine debe caerse antes unas dos mil quinientas veces.

Y en la vida, todo es posible si tienes un objetivo claro. Cada puñetazo que recibía de mi cuarto padre adoptivo era un incentivo para mí. Los labios partidos comenzaron a ser habituales en mi rostro.

No recuerdo bien cómo se llamaba aquel primer chico que cayó al suelo gracias a que paré su corazón. Fue un compañero de colegio alto y rubio que se burlaba de otro chico en el patio. Me concentré y cayó. Fue épico, pero enseguida dejé que le latiera de nuevo y él se levantó como un rayo. No volvió a molestarle más, porque creo que sabía que yo había sido el causante de su dolor.

Decidí que, antes de enfrentarme a mi cuarto padre adoptivo, debía asegurarme de que poseía ese don. Estuve un año haciendo caer gente al suelo, todos desconocidos.

Probaba con corazones jóvenes, con corazones cansados y con corazones enfermos. Siempre era gente que cometía pequeñas injusticias y a la que yo observaba en centros comerciales, en el metro o en estadios de fútbol. No era difícil encontrarlos, por todas partes hay un montón de gente abusando de otros.

Conseguí parar el corazón a quien yo quería. Nadie perdió la vida por mi don, siempre recuperaba su latido, pero también les amenazaba con parárselo nuevamente si volvían a hacer daño a otra persona. No sé si me harían caso, sólo soy un niño.

Y aquel diciembre me sentí con fuerzas. Aquel cabrón adoptivo estampó mi cabeza contra la pared ocho veces, sangraba por todos los lados, pero la novena jamás llegó.

Escuché aquel corazón vomitivo y fui descendiendo sus pulsaciones. Sin prisa, deseaba que fuera consciente de lo que le estaba provocando. Pero pronto me animé y no sólo actué contra su corazón. Mi ira era tan grande que le estaba parando todos sus órganos. Incluso descubrí que en el intestino delgado era donde se almacenaba su rabia: tenía casi 980 gramos.

Sonreí mientras él sufría con la parálisis de todo su interior. Finalmente cayó al suelo. Me agaché, le miré a los ojos y no le dije nada. Ni le pegué, ni le insulté. Sólo disfruté con su dolor.

Cuando murió, no me sentí orgulloso de lo que acababa de hacer. Mi padre tenía razón: «Si dejas de ser tú mismo por culpa de otra persona, ¿quién serás? Tan sólo lo que desean que seas». No sé qué pensaría ahora de mí, él que siempre me daba abrazos corazón contra corazón.

No lo volveré a hacer más. O eso espero. Me he quitado un año, ahora tengo nuevamente once, no quiero recordar nada de ese último año.

Ahora soy un espabilado, un chico listo, ya no vivo con más padres adoptivos, ando solo por las calles y espero encontrar a otros espabilados que me ayuden a ser quien soy, sin miedo a que me lastimen y sin lastimar a nadie.

Encontraré a esos otros espabilados porque el corazón de la gente buena suena diferente e idéntico al de mi padre.

Él me decía que tenía que crear mi orquesta de almas sonoras, un grupo de personas que me afinen y que me transporten con sólo estar cerca de ellas. Y mis personas con almas musicales son los espabilados que laten al ritmo del corazón de mi padre. Los encontraré...

Bolsillos recortados
que no pierden recuerdos

Una película de Albert Espinosa

«LAS PERSONAS IMPORTANTES EN LA VIDA
SON LUZ, PORQUE SIN ELLAS
NOS APAGARÍAMOS Y NO VERÍAMOS CON CLARIDAD.
HAS DE CUIDARLAS SIEMPRE PARA QUE TE ALUMBREN
EN LOS MOMENTOS DIFÍCILES.»

LA DAMA DE 94 AÑOS

«NO DEBEMOS TENER MIEDO A EQUIVOCARNOS.
HASTA LOS PLANETAS CHOCAN
Y DEL CAOS NACEN LAS ESTRELLAS.»

CHARLES CHAPLIN

Se despidió de su mujer y de sus hijos. Sabía que le quedaba poca memoria. Pronto olvidaría sus nombres y el parentesco que les unía. También dejaría de recordar su profesión, sus virtudes, sus defectos y sus secretos.

Olvidaría a aquella amante que veía una vez al año. Su secreto más oscuro desaparecería. Con lo que le había costado ocultarlo y al final se desvanecería sin dejar huella.

El último mes con algo de memoria fue terrible. Desaparecían las palabras (se asemejaba a aquel teclado al que se le cayeron seis teclas y jamás volvió a ser el mismo), los sonidos no le venían a la memoria ni recordaba cosas tan sencillas como comer o andar. Como perdía tantas cosas por la calle, decidió recortarse todos los bolsillos de los pantalones y las americanas para que todo se le cayera en casa antes de salir.

Lo único positivo es que se marchaba de todos los sitios sin pagar y nadie se atrevía a decirle nada.

Y finalmente su memoria se apagó. Sólo le quedaban las melodías que amaba y que se repetían de vez en cuando dentro de su cabeza y que él siempre intentaba tararear.

A partir de allí, ya no era él. Había una densa niebla entre él y el mundo.

Su mujer le cuidó con devoción. Sus hijos y amigos también se volcaron al principio. Pero, poco a poco, como pasa con todas las enfermedades largas, fueron desapareciendo.

Las excusas eran parecidas y se resumían en: «Queremos recordarle tal como era». Qué estupidez más necia...

Con el paso de los años, los hijos comenzaron a sablear a la madre. Al principio pequeñas cantidades, pero más tarde pasaron de pedir a robar.

A veces esos robos de objetos y dinero se producían ante los propios ojos del padre. Le miraban antes de cometer el delito, pero el vacío de su mirada y aquel tarareo les hacían sentir impunes.

Cuando su mujer murió, todo fue a peor. Él era el único heredero, pero consiguieron que un juzgado le incapacitara. Todo fue para sus hijos.

Tuvo que escuchar las discusiones por la herencia. Él estaba en aquel salón donde los gritos de sus hijos se amplificaban en su cabeza. También estuvo presente cuando se repartieron el botín: objetos, cuadros, plata...

Los cuatro hijos fueron implacables con todo lo que había en aquella casa y finalmente quedó sólo por repartir aquel objeto poco valioso, que no brillaba, que a veces tarareaba y que siempre babeaba.

Nadie lo quiso. Decidieron, esta vez por unanimidad y sin gritos, que debía ir a una residencia. Todos estuvieron de acuerdo.

La frase más utilizada fue: «Nadie lo cuidará como mamá».

Y allá acabó, solo, sin familia, sin dinero y sin sus objetos personales y emocionales, que había atesorado durante toda una vida.

Compartía habitación en la residencia con una mujer que rondaba su edad. Había sido una juez implacable y ahora su juicio había desaparecido.

Compartieron habitación durante diez largos años. La salud de ambos se deterioraba, pero a un ritmo suficientemente lento para jamás hacer peligrar su vida.

Hasta que un día la cura llegó. Había un estudio experimental para intentar mitigar los efectos del alzhéimer y ellos fueron elegidos como cobayas. Los hijos de ambos habían firmado permisos para cualquier «tratamiento no invasivo», aunque sobre todo lo habían hecho para no tener que visitarlos jamás por minucias. Y aquel estudio estaba dentro de la categoría que habían aceptado de antemano.

Si aquello funcionaba, dieciocho inyecciones les separarían de sus recuerdos y de su vida anterior.

Lentamente aquel médico, cuya colonia traspasaba olfatos, les inyectó ese alivio intravenoso y fueron volviendo aquellos años. Tanto los vividos plenamente como los que estaban cubiertos por la niebla.

Él volvió a recordar lo que había visto, pero no escuchado ni comprendido. Fue como visionar de nuevo aquellos años oscuros, pero ahora a todo volumen y en alta definición.

Recordó a todos los que le habían abandonado y le habían dejado de visitar. También el odio de sus hijos. Los robos. Las mentiras. El maltrato físico y psíquico. El expolio... Todo... Todo retornó a su mente.

Al acabar el tratamiento volvió a ser quien era, pero a la vez no era ni la sombra del que había sido.

Deseaba ir a ver a cada una de esas personas, sobre todo a sus hijos, y demostrarles que había vuelto y que sabía todo lo que habían hecho. Pero pensó que era una venganza inútil... Al final debes decidir si quieres tener la razón o la tranquilidad mental.

Tan sólo visitó a su mujer en el cementerio. Deseó que estuviera viva. Le agradeció todo lo que había hecho. Le habló de aquel secreto que tanto le carcomió durante años. Aquel secreto que formaba parte de lo peor de él y que también había vuelto.

Al final lo recuperó todo. Le fueron devueltos el dinero, las propiedades, los cuadros e incluso una caja metálica donde residían aquellos bolsillos recortados que hacían que no perdiera nada fuera de casa. Y todo fue gracias a aquella compañera de habitación. La juez sí que tenía ganas de venganza (y de razón) y su habilidad en los juzgados fue absolutamente prodigiosa.

Cuando ganaron y recuperaron todo lo que sus hijos les habían arrebatado, se miraron y pasó: notaron aquel vínculo tremendo.

No era amor, era olvido. El olvido que habían compartido les unió. Jamás se separaron, jamás se olvidaron de amarse y de cuidarse.

TODO EL MUNDO TIENE SU PATIO

UNA PELÍCULA DE ALBERT ESPINOSA

«LA GENTE DEMUESTRA SU CALIDAD
EN LAS SITUACIONES COMPLICADAS.
SI ALGUIEN CERCANO ENFERMA, SI ALGUIEN
DE TU CÍRCULO PASA POR UN MAL MOMENTO,
RECUERDA SIEMPRE ESTA FRASE:
"SI TÚ ME DICES VEN, YO YA ESTOY ESPERÁNDOTE".»

LA DAMA DE 94 AÑOS

«NO PERMITAS QUE NADIE CAMINE
POR TU MENTE CON LOS PIES SUCIOS.»

GANDHI

«Todo el mundo tiene su patio. En un momento dado, los límites de aquel patio de colegio fueron todo su universo. Equivalían al oasis después del desierto de las clases.»

No sé dónde leí eso, pero quedó para siempre en mi memoria, quizá porque en mi caso es al revés. Mi patio es un lugar de caza y yo soy la presa favorita de cinco cazadores implacables capitaneados por un chaval rubio y alto de catorce años que posee una mirada amenazante.

Siempre que suena el timbre para salir al patio, remoloneo e intento hacer ver que estoy acabando de apuntar las últimas cosas de la pizarra. Salgo el último, bajo las escaleras muy despacio y respiro profundamente antes de poner un pie en aquel lugar.

El suplicio dura treinta minutos y a veces logro salir indemne. Pocas veces. Siempre debo estar alerta, moverme rápido, intentar acercarme a los profesores o conseguir que me castiguen para volver a clase.

En alguna ocasión he conseguido que me dejen saltar al colegio de al lado cuando se ha colgado alguna de las pelotas de las decenas de partidos que se juegan a la vez y me quedo allí todo el tiempo que puedo fingiendo que no la encuentro.

Hasta he hecho una amiga allí, es una chica que tampoco tiene mucha suerte en su colegio. Sufre algún tipo de abuso, no quiere hablar mucho sobre lo que le pasa, pero noto que compartimos la misma mirada de presas. Supongo que no quiere decirme nada porque siempre que cuentas un secreto, generas otro más. La comprendo.

Hoy es uno de esos días en que será complicado zafarse. Sólo con verles el rostro he comprendido que tienen ganas de cazarme. Se han dividido y cubren casi todo el patio. Su objetivo siempre es el mismo: coronarme rey.

Como imagináis, no se trata de ponerme una corona y llamarme «Majestad», sino que desean cogerme por los brazos y las piernas y empotrarme a toda velocidad contra el soporte de una canasta de baloncesto.

Se le ocurrió un día al cabrón alto y rubio. Jamás le llamo por su nombre, siempre me refiero a él así para mis adentros. Supongo que no queremos nombrar las cosas que nos dan más miedo.

Sé que debería contarles todo esto a mis padres y a mis profesores. Pero los que sufrimos una caza continuada no podemos hacer nada más, sólo escapar. Enfrentarnos o delatar a alguien no entra en nuestra cabeza. Sólo tengo diez años, quizá dentro de cuatro o cinco, si aún estoy vivo, me atreva. Cuando se lo cuente, sobre todo quiero que entiendan que no les he mentido, sólo he aplazado decirles la verdad.

A veces, cuando estoy en una piscina y veo a esos socorristas vigilando que no te ahogues, me pregunto por qué no hay socorristas en tierra. Pasan cosas mucho más terribles que ahogarte en un charco de agua con cloro.

Hoy sólo pienso en no ahogarme en tierra y en lograr escapar. Me como el bocadillo en veinte segundos, aguzo mis sentidos y comienzo a correr. Si lo miras desde fuera, es como un baile coreografiado. La manera en que me muevo y cómo ellos contrarrestan mis movimientos.

A veces dejo de correr para coger un poco de aire y hablo con un chico dos años menor que yo. Nadie habla con él. No sufre ningún tipo de abusos porque es invisible.

Me encanta su pasión vital, cree realmente que algún día encontrará un amigo. Yo podría serlo, pero entonces también abusarían de él. Por eso me muestro indiferente cuando estoy con él. Me da un poco de su bocadillo y algo de su zumo. Me ayuda a no deshidratarme.

A veces creo que de mayor podría dedicarme al atletismo. Mi forma física es envidiable.

A los veinte minutos me dan caza. He cometido el error de pasar por el lavabo. Intento no ir jamás, pero a veces creo que tendré tiempo de hacer mis necesidades y salir de allí antes de que aparezcan. Los tengo a todos controlados, pero siempre se les une gente nueva. Muchos son así, piensan que joder al prójimo es una forma de socializar.

Me coronan rey cinco minutos antes de que suene la campana. Como os podéis imaginar, duele mucho.

Ellos se ríen. Él, el cabrón rubio y alto, me amenaza con que mañana volverá a pasar lo mismo. Todos le siguen el rollo.

Vuelvo a clase y pongo la mente en blanco. Intento coger aire. Mi día jamás acaba ahí.

Cuando vuelvo a casa y abro la puerta, ahí está.

Es jodido cuando tu hermano es ese cabrón rubio y alto que te hace la vida imposible. Es muy complicado compartir habitación con el tipo que disfruta diariamente con tu dolor.

La caza no cesa ni en casa. Sé que un día todo acabará, pero mientras eso no pase, lucho con todas mis fuerzas.

Lucho por ser valiente y enfrentarme a mi miedo. Supongo que si la gente se alimenta de comida basura y la transforma en energía, velocidad, altura y peso... Yo espero poder convertir algún día todas esas malas experiencias y ese intenso dolor en emoción, felicidad y amor. Ojalá...

Puñaladas por Sonrisas

Una película de ALBERT ESPINOSA

«SIEMPRE HAS DE DAR A ALGUIEN
QUE SABES QUE NO TE HERIRÁ TU YO MÁS DÉBIL.
NO HAS DE TENER MIEDO A DESANCLAR
TUS SENTIMIENTOS DE TI MISMO.»

LA DAMA DE 94 AÑOS

«SI TE HIZO FELIZ, NO CUENTA COMO ERROR.»

BOB MARLEY

Se hizo payaso y jamás esperó enamorarse de una niña. Pero así fue. Él tenía cuarenta y tres años; ella, tan sólo seis. Se enamoró de su risa. Cada vez que hacía su espectáculo, quedaba fascinado por ese estruendo de felicidad.

Al principio no le dio importancia, para él sólo era público. Su audiencia eran críos, ése era su trabajo.

La gente siempre piensa que el oficio de payaso es vocacional. Pero no era su caso. Había creado un número perfecto por descarte. Tenía marionetas, hacía magia y conseguía que su rutina fuera casi perfecta para los ojos de un niño de seis años y bastante agradable para uno de ocho. A partir de los diez ya era más difícil engancharlos.

Nunca pensó que acabaría dedicándose a eso.

Durante años había sido instructor en un gimnasio. Había llegado a estar muy musculado gracias a los anabolizantes y los batidos. También probó en su día algunas otras sustancias prohibidas. En aquella época, estar fuerte era su único objetivo.

Pero nada dura en esta vida. No te lo dicen, pero nada dura lo suficiente en esta vida.

Se enamoró de una instructora de gimnasio como él. Ella era menuda pero fuerte. En las fiestas que se celebraban en el gimnasio por Navidad, fueron elegidos en dos ocasiones Pareja de Oro del año. Eran una especie de olimpiadas navideñas que premiaban a la mejor pareja, por su química y sus músculos.

No era un gran premio, pero era lo primero que veías en su casa cuando cruzabas la puerta. Aunque el sueño de ella era participar en unas olimpiadas y ganar una medalla en la modalidad de levantamiento de peso.

Pero aquella felicidad conjunta duró poco. Ella contrajo una enfermedad pulmonar degenerativa. Poco a poco fue perdiendo su musculación, pero él no cesó en su empeño para que ella siguiera en forma y no dejara su pasión.

Les podías ver en el gimnasio. Ella estaba cada vez más enclenque y llevaba aquel respirador portátil. Él la obligaba a hacer todas las rutinas; ella no podía, pero aceptaba por amor. Ninguno de los dos quería aceptar aquella enfermedad.

Aquella Navidad no ganaron el premio a la Pareja de Oro del año. La gente temió que ella no lograra superar ese invierno. Pero no todos pensaron de esa manera: muchos les votaron y consiguieron el galardón a la Pareja de Bronce. Para ellos fue doloroso recibir aquel premio, pues no comprendían bien qué significaba.

Durante siete meses podías verles en la sala de musculación. Enfermedad, músculo y amor se daban cita cada tarde a las seis en aquel gimnasio.

Ella murió en febrero y todas las máquinas de musculación se llenaron de rosas en su honor. Había mil rosas rojas. Aquel día nadie ejercitó ningún músculo en su honor.

Pero, al día siguiente, las máquinas ya no tenían las rosas y la gente volvió a poner su cuerpo al límite. Nadie es imprescindible. Las pérdidas son momentáneas.

A los pocos días, bautizaron la sala de musculación con el nombre de la chica. Aquello no hizo más que ahondar en su dolor.

Al cabo de dos semanas, él abandonó el culto al cuerpo y el entrenamiento de adultos. Sólo vigilaba aquel gimnasio con la mirada perdida intentando no ver ninguna de aquellas máquinas. Todo le recordaba a ella. No podía mover un músculo en aquel lugar sin pensar en ella y en su energía.

No se arrepentía de haber estado ejercitándose con ella hasta el final. Pero sin ella se le hacía cuesta arriba y tampoco había nadie que le obligara a seguir.

Y con los meses, comenzó a descuidarse, dejó de alimentarse seis veces al día y le apareció barriga por primera vez. Odiaba los cuerpos perfectos.

El gimnasio le pidió amablemente que volviera a ser el que había sido. No sé cómo se lo dijeron, pero no lograron convencerle. ¿Volver a ser el que era? Era tan absurda esa petición, después de todo lo que había pasado.

Le despidieron exactamente tres meses después de perderla. Tampoco nadie se percató de la coincidencia de la fecha de su despido con la de la pérdida de su amada.

No sabía a qué dedicarse. Llevaba tantos años ejercitando su cuerpo y ayudando a otros adultos a conseguir un cuerpo perfecto, que parecía que no existiese otra posible vocación.

El mundo de los payasos llegó por casualidad. Un día vio un mimo delante de un semáforo y la rutina que interpretaba le pareció horrible. Le dio algo de dinero por la pena que sintió, pero pensó que aquello se podía hacer bien.

No esperaba acabar de mimo, ni tampoco supo bien por qué, pero un día bajó a la calle y se puso a hacer un número delante de aquellos coches. La gente comenzó a reír. Se le daba bien, no era diferente a lo que había hecho durante toda la vida con las pesas: atraer la atención de los demás.

No podría ganarse la vida con ello, pero como mínimo le daba el sol y le obligaba a salir hasta el cruce de delante de casa.

Poco a poco, aquella gente de los coches lo fueron contratando para fiestas de cumpleaños. No le daban dinero, pero le preguntaban si actuaría para sus hijos. Él les despertaba un extraño sentimiento de confianza.

Aceptó. Y pronto pasó de mimo a payaso, y de actuar en semáforos a hacerlo en fiestas infantiles.

El público infantil era exigente, pero esa exigencia le encantaba. Le recordaba a su anterior trabajo. Debía sacar lo mejor de ellos y de sí mismo. Ahora no se trataba de obtener músculos, sino sonrisas. Pero todo estaba relacionado: descubrió que una sonrisa se conseguía gracias al trabajo conjunto de diecisiete músculos del rostro.

Se dio cuenta de que intentaba devolver las puñaladas que le había dado la vida con sonrisas; eso lo resumía todo.

Estuvo dos años perfeccionando su rutina y consiguió alcanzar una increíble. Hasta que llegó el día que la vio: tenía seis años, una sonrisa infinita y estaba enferma.

No era una fiesta de cumpleaños normal, era su última fiesta de cumpleaños. No sobreviviría a aquel año. La vio y se enamoró; le recordó a su pérdida.

Durante toda la actuación perfeccionó tanto su número que consiguió que ella se partiera de risa y olvidara el drama que estaba viviendo.

Fue después de la actuación cuando descubrió que la niña necesitaba la mitad de un hígado y un riñón. Demasiados órganos que no llegaban. Se negó a cobrar.

Volvió cada semana sólo para hacerla feliz. Le recordaba mucho a la chica menuda y robusta que había perdido. No podía suceder lo mismo con otra persona buena que había aparecido en su vida.

Después de un mes de visitarla semanalmente, fue al lavabo y allá pensó en acabar con su vida. Él estaba sano y tenía los órganos que ella necesitaba. Se había enamorado de su sonrisa y de su felicidad. Qué importaba su vida.

Escribió una nota y allá, en aquella bañera, pensó en quitarse la vida con una cuchilla. Esperaba que encontraran pronto su cuerpo y que le dieran a aquella niña lo que él no necesitaba.

Pero no lo hizo; pensar en aquella imagen de un payaso desangrándose era dantesco. ¿Y si fuera ella la que entrase y lo encontrara? ¿Cómo se recuperaría de esa visión? Y, sobre todo, ¿quién desearía tener el hígado y el riñón de un payaso cobarde?

Sabía que era hora de hacer las cosas bien, no debía obligar a nadie a aceptar lo que él le ofrecía. Pensó en la chica menuda haciendo ejercicio y por primera vez dudó de si realmente era lo que ella necesitaba; quizá hubiera preferido hacer otra cosa junto a él en sus últimos días.

Lloró en aquel baño todo lo que no había llorado durante todos aquellos años.

Cuando salió, lo tuvo claro. Él necesitaba dar. Ella necesitaba recibir.

Se reunió con los padres y les ofreció sus dos órganos. La imagen era igual de dantesca: un payaso con el maquillaje corrido por las lágrimas ofreciendo parte de su hígado y su riñón. Aceptaron al instante. Ella le besó en la mejilla, hacía años que nadie lo hacía.

En pocos días, el médico de la niña, un tipo que llevaba una colonia muy fuerte y especial, le dijo que era compatible, pero le habló de los peligros de quedarse en la sala de operaciones puesto que su forma física era bastante lamentable.

Tuvo que volver a ponerse a punto. Regresó al gimnasio para poder donar. Todos se quedaron extrañados de volverle a ver. Cada día luchaba por lograr ser el que había sido, aunque jamás lo conseguiría internamente, tan sólo en el exterior.

A veces, la chica de seis años iba a ver cómo entrenaba. Ella siempre se reía de él, porque él se ejercitaba mezclando su parte de entrenador con la de payaso.

En dos meses estuvo a punto. El trasplante fue justo tres años después del día que perdió a su chica. Otra coincidencia de la que nadie se percató.

La niña se salvó. Él no. Pero ella ganó el oro en unas olimpiadas cuando cumplió veintidós años, y su sonrisa y sus lágrimas iluminaron aquel podio. ¿Fueron los genes, la lucha, la casualidad o la fuerza del amor?

EL LENGUAJE
SECRETO
DE LOS NIÑOS

UNA PELÍCULA DE
ALBERT ESPINOSA

«HABRÁ RELACIONES EN TU VIDA
QUE NO FUNCIONARÁN PORQUE,
AUNQUE PAREZCAN PLACENTERAS,
SERÁN NOCIVAS PARA LA MENTE.
RECUERDA QUE ES MEJOR VOLAR SEPARADOS
QUE ESTRELLARSE JUNTO A OTRA PERSONA.»

LA DAMA DE 94 AÑOS

«CUANDO UN HOMBRE NO SABE HACIA DÓNDE NAVEGA,
NINGÚN VIENTO LE ES FAVORABLE.»

SÉNECA

El primer niño que me hizo el gesto no tenía más de cuatro años. Era rubio. Su padre lo llevaba cogido de la mano. Él estaba cruzando la calle, yo estaba parada con mi coche en el semáforo. Él niño me miró y dibujó un círculo con la mano derecha. Luego me señaló. No supe si lo había hecho especialmente para mí o si era un juego de críos. Pero instantáneamente se me puso la piel de gallina.

Pocos meses más tarde, estaba en un centro comercial mirando qué películas echaban en el cine cuando otro niño rubio, que no superaría los tres años, me miró fijamente y realizó aquel círculo mientras me señalaba. El niño hizo tres veces aquel gesto. Su madre, que buscaba una película infantil como una posesa, ni se percató de nuestra comunicación.

Esa segunda vez ya no se me pusieron los pelos de punta, tan sólo me quedé paralizada. Le seguí observando a la espera de algo más. Pero sólo hizo el círculo tres veces.

Decidí que debía averiguar más. La edad de comunicación era clara, niños de tres o cuatro años que casi no hablaban. Además, los dos eran parecidos: rubios, de ojos azules y complexión menuda, diría que más de lo normal para su edad.

Me acerqué a los pocos días a una guardería de mi barrio. Me quedé allí fuera esperando a que salieran los mocosos.

Fui pronto, no tenía hijos y no sabía a qué hora salían de clase. Hacia las cinco aparecieron las primeras madres y padres. A las cinco y veinte ya salieron cuatro niños. No tardaron ni diez segundos en verme y los cuatro a la vez hicieron aquel círculo. La diferencia con las otras veces fue que, después de realizar aquel círculo, dibujaron un triángulo en el aire.

Fue como si realizaran una coreografía. Me quedé sin saber qué decir. Finalmente cogí una libreta y apunté aquellos dos símbolos; intenté copiar el tamaño y la forma exacta con la que los habían dibujado con sus deditos.

Círculo y triángulo. No comprendía nada. ¿Qué querían comunicarme? ¿Qué sabían?

En los meses siguientes, mis visitas a los parques y a los colegios se multiplicaron. Temía que alguien pensase algo equivocado, pero mi interés por comprender podía con mi vergüenza ante los posibles malos pensamientos ajenos.

Poco a poco, fui obteniendo un nuevo símbolo. Pero para ello necesitaba que hubiera más niños, como si la suma de sus almas hiciera que apareciese otro elemento más que me podían comunicar.

En un parque donde vi a siete niños juntos apareció el tercer símbolo: un rombo. La cuarta figura fue un cuadrado y la conseguí en una fiesta infantil donde había unos diez niños juntos y un payaso musculado que hacía números extraños pero divertidos.

Luego estuve mucho tiempo sin obtener más comunicación. Como os he dicho, para que aquella extraña magia se produjese necesitaba que estuviesen reunidos muchos niños pequeños. Si eran mayores no funcionaba, simplemente me ignoraban. Por eso debía encontrar lugares donde se reuniesen muchos niños y mi presencia no incomodase excesivamente.

La suerte se puso de mi lado y vi en un periódico un anuncio de un casting de niños pequeños para una publicidad. Allí me topé con casi veinticinco niños, que realizaron para mí el quinto y el sexto símbolos: un rectángulo y otro rombo.

Mi vida entera ya giraba en torno a aquellos símbolos. Al fin y al cabo, la angustia es la consciencia de la posibilidad. Y yo sabía que todo aquello posiblemente significaba algo importante.

Estudié todo lo que pude sobre aquellas figuras geométricas e intenté encontrar una correlación. Pero todo parecía inútil. Aquella combinación carecía de sentido.

Con el tiempo me sinceré con algunos amigos íntimos. Pero cuando nos cruzábamos con algún niño, éste no hacía ningún gesto porque veía que iba acompañada. Lo mismo ocurría si lo intentaba grabar en vídeo.

Y de repente un día todo se aclaró.

Estaba en Roma de viaje y de repente vi en el suelo, en la acera, un agujero, pero lo curioso es que era igual que el círculo perfecto que ellos realizaban. Podría haber parecido un simple socavón, pero era de la medida exacta del círculo que dibujaban los niños.

Volví la cabeza y al final de la calle había una tienda de música: un triángulo musical sobresalía en el aparador. El tamaño nuevamente se parecía al símbolo que realizaban los críos.

Caminé hasta allí y no tardé en encontrar en otra parte de la calle similitudes al cuadrado y al rectángulo en un guijarro que había en una pared y en un grafiti que alguien había dibujado en un banco del parque.

No fue fácil porque, a partir del segundo símbolo, todo se me asemejaba al siguiente. Estaba como sugestionada. Pero como conocía el tamaño exacto, a veces mi deseo y la realidad no coincidían.

Me senté en el banco y busqué el último rombo.

Veía miles de rombos, pero ninguno era del tamaño perfecto. Hasta que me fijé en una puerta de una casa, donde había un pomo que estaba casi caído y, debajo, estaba despintada la huella de otro pomo con forma de rombo. Era como si antes hubieran tenido un pomo romboide. Ciertamente, cuando ellos hacían su rombo a veces parecía que los bordes se redondeaban, pero no le di mucha importancia.

Me acerqué lentamente y escuché sonidos detrás de la puerta, parecían sollozos. Eran muy leves, aunque podía decirse que eran intensos pero amortiguados por la distancia.

Llamé a la policía. Se personaron en pocos minutos. No les hablé de los símbolos, tan sólo de los sollozos. Pero ellos no oían nada.

Les convencí para que llamaran a la puerta, no podían hacer nada más sin indicios de que pasara algo dentro.

Llamaron cuatro veces y nadie contestó hasta que de repente un montón de niños que había en el parque se pusieron a chillar como locos mirando hacia aquella puerta. Y justo en ese instante, desde dentro, se escuchó un grito espeluznante de un niño que nos sobrecogió a todos.

Uno de los policías derribó la puerta con una especie de maza. Fueron corriendo hacia un desván que se divisaba a lo lejos.

Y allá aparecieron cinco niños atados de entre cuatro y diez años que, según me contaron más tarde, habían sido encerrados por su propio padre.

En sus camisetas estaban estampados aquellos símbolos que yo conocía. Camiseta de cuadros, suéter de rombos, pantalones hechos trizas en forma de triángulos y abrigos con rectángulos descosidos del tamaño exacto del que habían dibujado aquellos niños. Además, en el suelo había platos circulares, iguales a lo que ellos me habían signado.

Supongo que lo que más me conmocionó fue cuando vi en aquel desván los rincones de los castigos. El padre los castigaba y les obligaba a poner la barbilla contra la pared. Ver cómo aquellas manchas de la barbilla iban ganando altura en la pared es lo más doloroso que he visto en mi vida.

Recuerdo que, al día siguiente, los periódicos italianos hablaron del prodigioso descubrimiento de aquellos niños que fueron salvados. Utilizaron una palabra con tantas letras que pienso que era perfecta para la ocasión. No servía un «increíble» o un «fantástico» para aquella salvación.

«*Sovramagnificentissimamente.*» Me parece soberbia, veintisiete letras juntas que se podrían traducir por: «Un hecho que es más que magnífico, casi un milagro». Al fin y al cabo, es lo que yo sentía.

No supe cómo reaccionar. No supe si aquella doble casualidad tenía algún sentido. Ni si los niños de este mundo realmente pueden comunicarse entre ellos.

Sólo sé que salvaron a cinco niños y no sé bien por qué me eligieron a mí como mediadora.

Ahora les miro y no me dicen nada. Pero jamás dejo de observarles.

Cuatro años más tarde había encontrado el amor y esperaba gemelos. Cuando empezaron a dar patadas en mi vientre, me di cuenta de que tenían una cadencia y un día noté cómo con sus pequeños deditos dibujaban desde dentro la forma de un pentágono... Sonreí feliz porque sabía que, dentro de poco, salvaríamos a otro niño...

Todos los osos polares son zurdos

Una película de
ALBERT ESPINOSA

«LAS MEJORES PERSONAS NO ABRAZAN,
TALADRAN TU ALMA. DAN ABRAZOS DE GOL.»

LA DAMA DE 94 AÑOS

«LA ÚNICA PERSONA QUE NECESITAS EN TU VIDA ES AQUELLA
QUE DEMUESTRE QUE TE NECESITA EN LA SUYA.»

OSCAR WILDE

Y de pronto apareció en el suelo aquella nota sin firmar. Yo regaba el árbol que me regaló la chica que me dijo que no.

Jamás la comprendí, no aceptó mi amor, pero en cambio me regaló una planta. Aún cuido esa planta horrible y la riego cada día, como si aquel amor perdido fuese a volver el día que diese sus frutos. Supongo que la odio un poco, no sé dónde escuché que ese sentimiento nace de no poder utilizar a las personas como deseamos.

Era un níspero, pero jamás había dado ningún fruto. Yo aún soñaba que un día me levantaría y encontraría unos frutos anaranjados y ovalados colgando del árbol.

Pero, en lugar de nísperos, un día me levanté y encontré la nota de la que os he hablado, en el suelo, junto al árbol. Doblada en cuatro. La abrí lentamente. Había una única frase escrita:

Nada tiene ya sentido, no quiero seguir.

Miré hacia arriba: aquel bloque de quince plantas estaba estático. Nada sobresalía de allí excepto unos balcones estandarizados.

¿Era realmente una nota de suicidio o simplemente un ensayo de una nota de suicidio?

Es decir, me refiero a que no sabía si era una nota que se le había caído a alguien involuntariamente y no le gustaba cómo quedaba o si alguien la había lanzado adrede cual nota de socorro para que yo la encontrase y lo salvase. Quizá era semejante a esas misivas que se introducían en una botella y se lanzaban al mar, pero en versión terrestre.

Volví a mirar arriba. Nada. Yo vivía lejos de ellos.

Mi piso, heredado de las pérdidas que había sufrido, era ínfimo comparado con el de los otros habitantes de aquel edificio, pero al menos tenía la suerte de poseer aquella maravillosa terraza llena de plantas.

Mi padre sí que las sabía cuidar. Los fines de semana se pasaba las dieciocho horas que estaba despierto arreglando el jardín, y las pocas horas que dormía siempre lo hacía con la ventana abierta y oliendo sus plantas. Vivía para la naturaleza que había creado en aquella urbe.

No sé qué opinaría del níspero, seguramente me haría ver que no tenía sentido en aquel terreno por un tema de tamaño o de estacionalidad. No sé si me explico, pero cada planta tiene una estación. Yo no entiendo bien de eso, pero él lo tenía muy en cuenta. Al igual que el tamaño de las plantas, quería que todas convivieran en armonía. Ninguna debía arrinconar a otra.

Siempre me hablaba de los almendros, decía que eran los árboles más enamoradizos porque florecían por San Valentín. Quizá le debería haber regalado a aquella chica un almendro a cambio de su níspero. No sé si hubiera mejorado mis posibilidades.

Volví a mirar la nota, no sabía si pertenecía a un chico o a una chica. La caligrafía era neutra. Ninguna pista, el papel pertenecía a una libreta estándar y el bolígrafo utilizado parecía un Bic de toda la vida. Mi padre contaba que la letra decía mucho de las personas, que las letras valientes crean palabras certeras.

Arrugué la nota. Iba a lanzarla a la cesta de las ramas caídas, pero algo me detuvo. Tuve la sensación de que alguien me estaba observando desde aquel edificio.

Volví a mirar arriba y me pareció como si alguien desapareciese de un balcón. Seguramente era mi imaginación, pero se me erizó todo el cuerpo.

Me llamo Dante, tengo diecinueve años y estoy perdido. No sé por qué os lo cuento justo ahora, pero creo que, si le explicas a alguien que algo te ha erizado todo el vello, necesita saber quién eres.

Mi padre me puso Dante por la *Divina comedia*. Quizá por eso no la he leído nunca. Era el portero de esta finca, fue querido, amado y añorado. Conocía a todo el mundo y amaba su trabajo. Cada vecino formaba parte de su vida y de sus pensamientos diarios. No tanto como sus plantas, pero supongo que ellos lo tenían en sus días laborables y ellas en los festivos.

Me compararon con todos los hijos de los vecinos de la escalera. Que si el del cuarto estudia más, que si el del sexto ya toca el saxofón, que si la del séptimo es más ordenada aun siendo tres años menor. Todos eran más para mi padre de lo que yo he sido o seré nunca.

¿De qué debe ir la *Divina comedia*? A veces me pregunto si él realmente la leyó y si decidió ponerme ese nombre por alguna razón concreta. No estoy seguro, mi padre sabía muchas cosas porque los vecinos siempre le contaban anécdotas y él las hacía suyas. Su favorita era que todos los osos polares son zurdos. Decía que era buena para romper el hielo en el ascensor como inicio de una conversación. Yo creo que se lo contó aquel hombre del duodécimo que perdió la cabeza por el alzhéimer y a quien sus hijos llevaron a una residencia.

Ocupo el trabajo de mi padre desde hace un año. Soy el hijo del portero, pocos me llaman Dante. Yo tampoco sé mucho de ellos, sólo recojo sus desperdicios por la noche y poco más. Friego sus pisadas. Reparto sus facturas. Arreglo el ascensor y a veces hablamos del tiempo o de los eternos problemas de la fachada.

No, no creo que uno de esos vecinos me haya tirado adrede la nota para que le ayude. Pocos saben que vivo en el entresuelo y menos aún que existe este vergel. Casi ninguno mira para abajo. Cada piso hacia arriba es para ellos un mérito y un símbolo de éxito. El quinto siempre cuesta más que el cuarto y mucho más que el tercero. El ático es el *summum* total en términos económicos y sociales. Todos quieren vivir arriba del todo y por ello mirar abajo es como una deshonra. Pero mi vergel sigue siendo mejor que sus vistas a otros edificios altos.

Padre murió de un ataque al corazón en este vergel. Creo que esto le produjo placer. A Madre no la llegué a conocer, se marchó de casa cuando yo tenía cuatro años. Nunca la busqué. Quizá se fue porque odiaba ser la mujer del portero o tal vez porque le era imposible amar a aquel hombre. Creo que jamás lo sabré, nunca sentí la necesidad de encontrar la respuesta a esta cuestión. Padre nunca hablaba de ella. Yo tampoco.

La chica que me regaló el níspero ha sido el amor de mi vida. La conozco desde los trece años. Cuando me declaré, supe que me diría que no. Su olor, ese perfume que me sabía de memoria, viró cuando comencé a hablarle de mi amor. Fue como si el miedo que le produjeron mis palabras se mezclara con su perfume y crearan un nuevo olor bastante apestoso.

Me pidió un día para responder y apareció con el níspero y un no rotundo. Tenía que haber rechazado aquella maldita planta. Ya hace un año y medio y todavía no he levantado cabeza.

Miré al suelo y vi una segunda nota. Pertenecía a la misma libreta y había otra frase:

Lo siento, sin tu amor nada tiene sentido.

Cómo era posible que hubiera caído de arriba sin que me diese cuenta. Estaba justo allí, debería haberla notado caer.

De pronto se me heló la sangre. De golpe me di cuenta. Aquella nota olía a níspero. Me puse debajo de la planta y la miré desde el suelo. Una tercera nota cayó del árbol. La leí en esa posición:

Ella no te dio el no, sino que te dio mi amor,
pero no te diste cuenta.

Poco más puedo deciros. Poco más puedo contaros. A partir de aquel momento somos «Dante y el níspero». Somos uno.

Pensé en mi padre y en el amor por su jardín. Deseé encontrar su planta, la que le enviaba sus notas y la que seguramente provocó la marcha celosa de mi madre. No la encontré, pero tengo mis sospechas.

Ahora soy yo el que me paso dieciocho horas cuidando mi vergel y durmiendo con la ventana abierta para poder oler a mi amor.

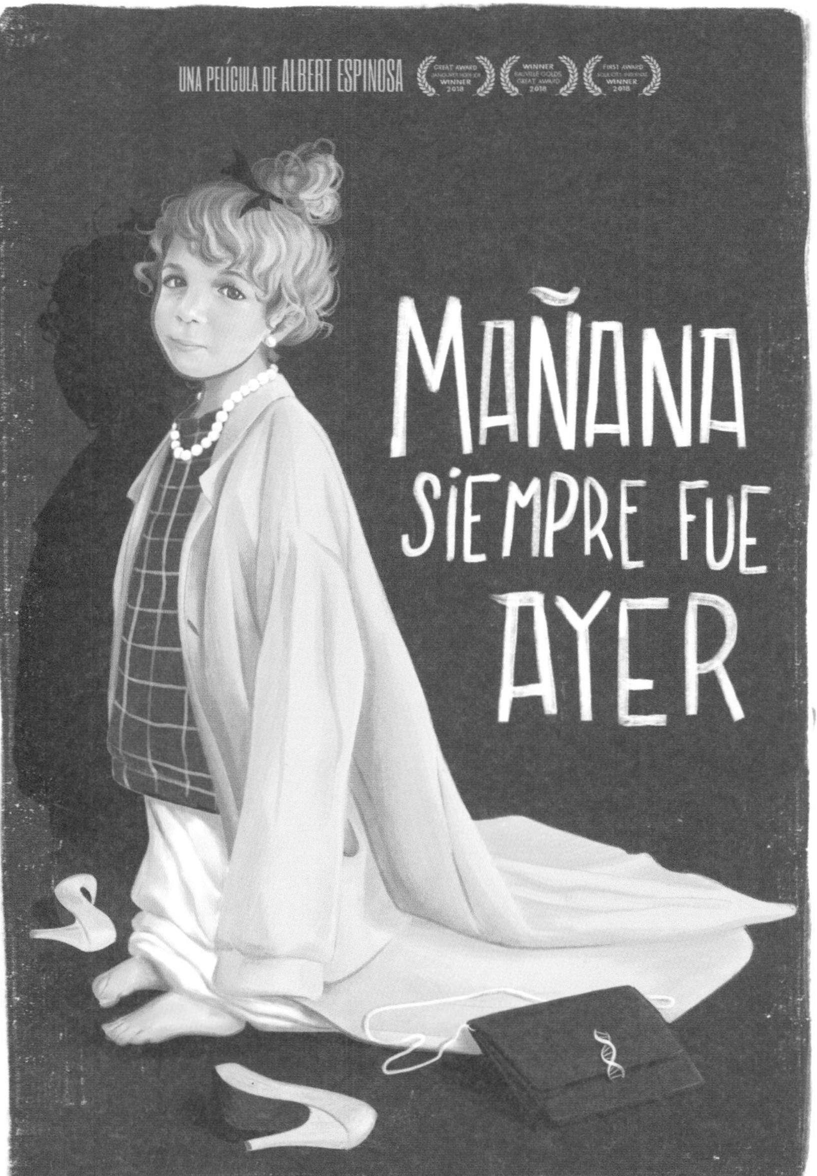
UNA PELÍCULA DE ALBERT ESPINOSA
MAÑANA SIEMPRE FUE AYER

«LA LUZ ATRAE A LOS LOBOS,
PROMÉTEME QUE IRÁS CON CUIDADO
POR EL MUNDO CUANDO EMITAS
TODA TU ENERGÍA POSITIVA.»

LA DAMA DE 94 AÑOS

«EL CARÁCTER LO DETERMINAN
LOS PROBLEMAS QUE NO HEMOS PODIDO ELUDIR
Y EL REMORDIMIENTO QUE NOS PROVOCA
LOS QUE HEMOS ELUDIDO.»

ARTHUR MILLER

No recuerdo quién descubrió aquel gen que lo transformó todo. Lo he olvidado, en el colegio nos hablaron de aquel hombre, pero no recuerdo su nombre. Los científicos que lo cambian todo, muchas veces, son olvidados debido a que su invento les eclipsa.

Yo tengo diez años de edad biológica. En la época que me ha tocado vivir eso es muy importante. En todas partes te lo preguntan, aunque saben que puedes mentir. Todos mienten sobre su edad.

Antes, en tu época, la gente se ponía años cuando tenía quince, dieciséis o diecisiete, y se pasaba el resto de su vida quitándose. Ahora mentimos desde los diez, la edad en la que el gen muta y todo tu cuerpo nota esas transformaciones que hacen que puedas elegir.

Me imagino que, antes, ser un niño era más sencillo. Tomabas menos decisiones, tan sólo jugabas y poco más. Ahora debes decidir muchas cosas.

Yo me he sentido abrumada, mis padres no sabían cómo ayudarme. Aunque es normal, ellos tampoco actúan según la edad biológica que tienen. Todos cambian, todos se transforman. Es parte de esta locura creativa de quitarse años o ponérselos según desees. Parece que mañana siempre fue ayer. Es lo que permite ese gen que se activa a los diez años y que inventó aquel hombre cuyo nombre no recuerdo. Ahora la vida es horizontal y no vertical.

Yo también tengo ganas de hacerlo, quiero mutar a otra edad, pero me da miedo equivocarme.

Sé que te sentirás perdido, que debería explicarme mejor, pero temo que te suene a locura porque tú viviste una sola edad en un solo tiempo.

Pero intentaré explicarme: en mi tiempo y en mi mundo puedes elegir la edad. Sí, la que quieras según la hora del día que te apetezca.

Mi madre es una niña hermosa por la mañana y

por la tarde se convierte en una adolescente. Jamás veo su edad verdadera, pero la intuyo por la noche, que es cuando más se acerca a ella. No sé por qué escoge esas rutinas: ¿por qué no es una niña por la noche y una mujer madura por la mañana?

Nadie aparenta su edad real. Y tampoco conozco ningún caso de alguien que se ponga más años de los que tiene una vez supera los cuarenta. En mi mundo no existen los viejos porque todos aparentan veinte o treinta.

No los distingues y ése es el problema. Nunca sé si el chaval del pupitre de al lado tiene mi edad o no. Yo aún no me he transformado ni una sola vez, no sé si quiero hacerlo.

Mi padre, que es un adolescente perpetuo de dieciséis años, me dice que espere a los veinte para hacer mi primer cambio. Siempre me cuenta que esto es como el jet lag: no debes tomar decisiones importantes hasta una semana después de un viaje largo, y lo mismo pasa con el gen hasta que dobles tu edad.

A él le encanta tener dieciséis años; no a todo el mundo le gusta esa edad y es porque la gente recupera el aspecto que tenía entonces, y los dieciséis no siempre sientan bien. Pero es verdad que mi padre, a esa edad, conservaba todo lo que después perdió. A los diecisiete comenzó su declive.

A veces es divertido ver a mis padres. Ella con ocho años y él con dieciséis, cogidos de la mano y riendo.

Cuando era muy pequeña les vi con su verdadera edad. No se les veía felices, no se sentían bien en su propio tiempo biológico. Pero es cierto que, en los primeros años del niño, se recomienda que mantengan su edad para que crezca sin problemas psicológicos. No todo el mundo lo hace, pero mis padres lo cumplieron.

«Jamás hemos de juzgar.» Es lo que nos enseñan desde los siete años en el colegio. Incluso hay una asignatura sobre el cambio de edad. Es importante comprenderlo, aceptarlo y jamás poner en duda que ese gen es un regalo y un don.

Recuerdo a aquel chico de clase que preguntaba si cuando cambias vuelves a la mentalidad de aquel instante o mantienes la de tu edad biológica.

La profesora dijo que aquello no era importante. Aunque la insistencia del chaval hizo que aclarase que lo que eres no desaparece, nunca vuelves hacia atrás en cuanto a inteligencia o experiencia. Tus vivencias te curten y viajan contigo. La mente no mengua, por decirlo de alguna manera.

Siempre pensé que aquella profesora había tardado tanto en explicárnoslo porque no quería que le preguntáramos cuál era su verdadera edad. De aspecto rondaba los veintiséis, pero corría el rumor de que tenía más de cien.

Aunque todo esto tiene cosas buenas, como ver a tu actor o actriz favoritos siempre con su mejor aspecto. Y a los deportistas siempre en su mejor nivel, o a los músicos conservando la voz que los catapultó a la fama.

Pero también trae consigo que haya menos oportunidades para los demás. Aunque siempre nos piden que nos centremos en los aspectos positivos: la gente no enferma y se gasta menos dinero del contribuyente en asilos o en el tratamiento de enfermedades degenerativas.

El alzhéimer, el párkinson y la artritis desaparecieron. La gente que notaba sus síntomas mutaba inmediatamente a una edad anterior más tranquila.

Mi abuela lo hizo, murió hace un año. La enterramos y su rostro no superaba los cinco años, perdió la vida en un atropello cuando llevaba puesta encima esa edad.

Es extraño que la madre de tu padre sea enterrada en un ataúd minúsculo.

No sé qué quiero hacer. No sé si quiero mutar. No sé por qué te escribo esta carta. Eres mi bisabuelo, la última persona que no vivió esta extraña época. Ya no existes, no experimentaste esta locura y supongo que alucinarías al saber que tu hija murió con cinco años. Aunque ella me contó que tú dejaste de dormir y que aquello fue un acto valeroso.

Para mí eres un referente de lo que fuimos, de una sociedad que vivía obsesionada por ser joven, pero que jamás lo logró. Ahora lo conseguimos simplemente pensándolo.

No sé si deseo saber cuál será mi aspecto cuando

tenga cuarenta o cincuenta años. No quiero equivocarme e irme a una edad en la que ya no esté viva. Muchos han muerto por pensar erróneamente que somos inmortales. No lo somos, y si tu tiempo se acaba a una edad por problemas relacionados con fallos en tu cuerpo, si se te ocurre trasladarte a esa edad, tu vida finalizará.

No me gusta este mundo, creo que no encajo en él. Me hago demasiadas preguntas y no deseo crecer. Quizá si no nos enseñan a crecer, no deberíamos hacerlo. Una vez oí que el coraje salta algunas generaciones. Tú eras alguien valiente, los abuelos también, pero mis padres son cobardes, se han adaptado a este mundo... Sé que es suponer mucho que nosotros somos esa nueva generación con agallas para cambiar las cosas.

¿Sabes, bisabuelo?, creo que he decidido imaginarme mi nacimiento y sé que en unos segundos volveré a ese instante. Creo que es lo mejor: volver a nacer, tener un segundo de vida y, quizá, cuando cumpla de nuevo diez años tomaré otra decisión.

Espero poder acabar de escribirte esta carta. No sé si lo lograré, los cambios son instantá

lo que perdimos
en el fuego
renacerá en
las cenizas

Una película de **Albert Espinosa**

«TOMA UNA DIRECCIÓN APASIONADA
Y NADIE PODRÁ CONTIGO. Y SOBRE TODO RECUERDA
QUE, SI APRENDES A CAERTE, APRENDERÁS A LEVANTARTE,
Y SI APRENDES A MORIR, APRENDERÁS A VIVIR.»

LA DAMA DE 94 AÑOS

«LA AMISTAD ES UN ALMA QUE HABITA EN DOS CUERPOS,
UN CORAZÓN QUE HABITA EN DOS ALMAS.»

ARISTÓTELES

Les gustaba ir los domingos al tanatorio. Se habían conocido allí tres años atrás. Se dieron cuenta enseguida de que ninguno de los dos estaba allí por nadie en particular. Sólo para sentir la épica de la vida.

Ella rozaba los noventa años y él no superaba los diecinueve. Ella estaba cerca de su propia ceremonia final y él aún no debería ni pensar en ello. Pero ambos habían vivido muertes cercanas, habían visitado aquel tanatorio de Les Corts en Barcelona y se habían enamorado de aquel lugar, sobre todo en domingo.

Y era porque aquel tanatorio en domingo estaba situado en una encrucijada extraña. Por la mañana sólo estaba la gente que iba a dar el pésame. Por la tarde, si era día de partido, se llenaba de hinchas del Barça por la cercanía del estadio. Y por la noche era una zona de prostitución.

Era curioso porque, si mirabas desde el tanatorio a la calle, podías observar a cada hora del día las diferentes emociones que emitía la gente: felicidad, deseo y tristeza. Todo se mezclaba en aquel lugar.

Ellos fueron por primera vez a aquel tanatorio dos domingos diferentes a despedir a dos personas especiales. Ella a su marido, junto al que había pasado cincuenta años. Él fue a despedir a su madre, su gran vínculo, sobre todo si la pierdes a los dieciséis años.

Aquel lugar les alucinó tanto como si hubieran visitado un museo mítico o un monumento patrimonio de la humanidad.

Les gustaba ir porque era como si allí la vida alcanzara su máxima plenitud. Y es que vivimos tan de espaldas a la muerte que en aquel lugar cada segundo te recuerda el sentido de lo que hacemos en este gran juego.

No sentían tristeza ni tampoco melancolía por los parientes perdidos. Ellos sentían felicidad, como quien va a un restaurante a tomar su plato favorito o quien ama el cine y necesita esos fotogramas semanales. Así lo vivían. Pasaban cuatro horas allí y lo observaban todo sin perderse detalle.

En la entrada había aquel libro que les encantaba, donde la gente dejaba comentarios sobre el muerto. No todos se atrevían a hacerlo. Hay personas que piensan que pueden ir a mostrar sus respetos, pero no se sienten tan allegadas como para escribir unas palabras sobre esa pérdida. Extraño, pero observaban semanalmente esa dicotomía.

También les gustaba mirar las salas de vela. Observar quién tenía más gente y quién menos. Qué se decía, qué se comentaba y qué sonidos se emitían. Y es que los comentarios interesantes siempre se producían fuera de las salas. La gente sólo se quedaba en ellas unos segundos, para ver al muerto y lo bien que estaba. Nunca habían oído que nadie dijese que lo habían dejado peor de lo que estaba. A ella eso le gustaba porque no se encontraba en un gran momento físico y pensaba que, como mínimo, la muerte la rejuvenecería.

Entonces se producía otra dicotomía: había algunos que habían firmado en el libro, pero que sentían que no podían entrar en la sala. Y también podía pasar al revés: gente que no había firmado en el libro, pero que sí quería echar un vistazo. Quizá era porque las palabras no le salían, pero sí la mirada de consuelo.

Después de ver las salas de vela, iban a algún responso, escuchaban las canciones que habían elegido para despedir a los difuntos o leían los mensajes de las coronas. Para ellos todo era mágico, les relajaba y les daba energía para toda la semana.

Aquel extraño domingo era su hobby en común y tardaron años en darse cuenta de que lo compartían. Cuando salían de allí, se sentían pletóricos. Nunca le habían confesado a nadie lo que hacían, sabían que la gente no les entendería, difícilmente se asemejaba a nada de lo que la gente hacía los domingos para entretenerse.

Además, jamás se aburrían porque allí la gente siempre era diferente, al igual que sus emociones. Y es que los lloros nunca se asemejaban, los lamentos nunca eran iguales y los comentarios desafortunados muchas veces eran lo más divertido.

Les hacía gracia cuando alguien se equivocaba de sala, la reacción que provocaba en familiares y amigos. O les apenaba sobremanera cuando alguien no tenía ni una sola visita.

Toda la emoción posible se dividía entre esas doce salas de vela hasta que se te llevaban en tu último vehículo. Cuando se conocieron, ella siempre le decía a él que la vida dependía del lugar que ocupas en un coche. Cuando eres bebé vas detrás en una sillita propia, más tarde vas en los asientos traseros. Luego, si eres sagaz, te conviertes en copiloto, y finalmente un día conduces tu propio vehículo. Con los años, vuelves a la parte de atrás y, al final de tu vida, vas estirado en ese último coche alargado...

Seguramente fue aquel día, después de escuchar esa teoría, cuando el chico se dio cuenta de la inteligencia vital de ella. Ese comentario sólo podía nacer de haber aceptado muchos estados emocionales y muchas personas en tu vida.

Pero, volviendo a su periplo dominguero, al final de ese día siempre bajaban a la sala del crematorio, donde incineraban a los que no deseaban ser enterrados.

Ellos jamás veían los cuerpos, jamás entraban en las salas, nunca se hacían pasar por parientes o amigos. El respeto a la pérdida era sagrado.

Pero les gustaba estar en aquella sala que desprendía un olor y una temperatura extrañamente candorosos. No veías cómo los incineraban, pero lo notabas sensorialmente.

Y allá, un día de noviembre se reconocieron como iguales. Se dieron cuenta de que eran cazadores de vida. Se miraron y lo supieron al instante.

Tardaron semanas en presentarse formalmente y enseguida nació entre ellos algo parecido a una amistad. Al principio él la trataba de usted, luego ella le pidió que dejase de hacerlo porque a nadie le gusta. Ella opinaba que debería existir el «tú» y el «tud». Este último sería la forma de respeto a los más mayores. Él se rio mucho con esa teoría.

Se saludaban cada domingo, luego cada uno iba a su aire y buscaba lo que necesitaba y, finalmente, acababan sentados juntos en la sala de incineración.

Él le contó un día que, en Noruega, la energía

que se obtiene de la cremación sirve como calefacción para las guarderías. Esas tuberías de energía están conectadas. A ella le pareció que era perfecto. La tercera edad daba calor a la primera. Creo que fue el día que ella se dio cuenta de que aquel chico tan joven vivía en un cuerpo equivocado, no acorde a su madurez.

Poco a poco, deseaban intensamente que llegase aquel momento compartido en el crematorio para tener esas breves conversaciones que les iban uniendo.

Ambos adoraban una cosa muy bella que ocurría en el crematorio. Y es que las prótesis de titanio no arden. Y a veces se abría la puerta y a los familiares les entregaban las cenizas y aquella prótesis entera que había mantenido una cadera en su sitio, las placas rectangulares que arreglaron un codo tras aquel accidente de coche o el tornillo sobrante de alguien al que le faltaban dos. Aquel instante era muy bello, era como revivir la pérdida y a ambos les llenaba el alma.

Y un día pasó, sé que os costará creerlo. Pero se enamoraron, supongo que porque vivían a contracorriente y se sentían solos.

Ella creyó que sería platónico, él también. Pero al final resultó que funcionaban bien en todos los aspectos.

Pero no duró mucho. No el amor, sino la vida. Nada se mantiene igual durante mucho tiempo.

Ella murió hace unos días, arrastraba una enfermedad larga y dolorosa, de la que jamás le había hablado, pero de la que conocía su caducidad.

Él entró en su sala de vela, hacía años que no las veía por dentro y se dio cuenta de que no habían cambiado desde que murió su madre. Tampoco era necesario, la gente no acostumbra a visitarlas a menudo. Su sala de vela era bellísima porque alrededor de su féretro había un montón de flores y hasta algún pequeño árbol frutal. Se quedó dentro todas las horas posibles velándola.

Ella quería que la incineraran. Él no sabía si ella llevaría alguna prótesis, nunca habían hablado de ello, aunque jamás observó ninguna cicatriz en su cuerpo.

Cuando salieron los del crematorio, le dieron una

medalla. Él se quedó extrañado, pero enseguida imaginó que ella se la había tragado cuando supo que el fin estaba cerca. La última semana de vida fue un tormento para ella, el dolor se acentuó.

Sabía que la medalla era su regalo para él. A los dos, a lo largo de los ocho meses que duró la relación, les gustaba sorprenderse.

En la medalla ponía el nombre de ambos y esta frase: GRACIAS POR DEVOLVERME LO QUE PERDÍ. RECUERDA QUE ESTÁS VIVO Y HACES SENTIR VIVA A MUCHA GENTE.

Él jamás volvió a ir a ningún tanatorio. Ya no hacía falta, de su cuello colgaba vida en estado puro.

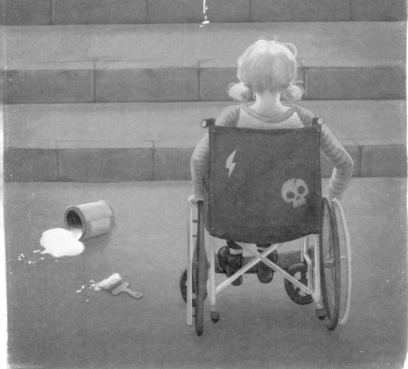

«¿SE ACOSTUMBRA ALGUIEN A ESTAR SOLO?
ESTA PREGUNTA ÚNICAMENTE PUEDE RESPONDERSE
RECORDANDO QUE EL PASADO ES LA PÓLVORA
DE LA FELICIDAD DEL PRESENTE Y ENTREGÁNDOTE
DIARIAMENTE A LA VIDA SIN MIRAR EL FUTURO.»

LA DAMA DE 94 AÑOS

«RECORDAR ALGO MALO ES COMO
LLEVAR UNA CARGA EN LA MENTE.»

BUDA

Tengo siete años y voy en silla de ruedas. La gente me mira mal, como si fuera una extraterrestre. Me leí *Wonder* el año pasado, me apenó la historia, pero no me sonó a nada que no supiese. Además, él tiene la cara rara pero anda, no sé por qué tanto drama. Mi madre me compró el libro y a los pocos días lo dejé. Además, estoy segura de que el que lo ha escrito no tiene la cara rara.

Yo no ando, voy todo el día en una silla de ruedas y la gente me mira con tristeza. Es como si les diera pena. Pienso: «Que les den» Además, ellos van en coche porque no pueden ir rápido, o en avión porque no pueden volar. Todos tienen minusvalías, pero parece que sólo cuentan las sillas.

Mis padres me miran bien, normal. Son mis padres, claro.

Voy a toda velocidad con mi silla de ruedas. Estoy muy orgullosa de todas mis heridas de guerra. Mi ídolo es Marc Márquez, algún día lo conoceré y le propondré una carrera. Tiene cara de niño, la gente con cara infantil me cae bien. También empatizo con la extraña locura personal de Alfred de Operación Triunfo.

No le tengo miedo a nada.

Odio ir en avión. Te tratan como basura. Te hacen entrar la primera para que te aburras como una ostra y te sacan la última. Como si estar encerrado en un lugar pequeño sin poder moverme fuera la hostia y algo desconocido para mí, cuando es mi pan de cada día. Deberíamos entrar los últimos y salir los primeros. Pero como digo siempre: «La gente sólo va a la suya: te miran con pena, pero si se retrasa mucho el vuelo porque tardan en acomodarnos, ya comienzan a decir que no deberían dejarnos volar. Gilipollas».

No hablo bien, lo sé. Pero protestar contra las injusticias es lo único que me queda.

No sé por qué piensan que una chica en silla de ruedas ha de ser simpática. Que les den. Tampoco entiendo que el símbolo de los minusválidos sea una silla de ruedas, como si eso fuera nuestra seña de identidad, preferiría que fuera una bella estrella roja. Todos querrían tener esa puta estrella roja puntiaguda.

Mis padres intentaron corregirme lo mal que hablo, pero finalmente han entendido que es mi única arma contra el mundo.

En San Francisco, ciudad horripilante donde no puedes ir con silla de ruedas a ningún sitio porque todo son subidas y bajadas, compré una bola de esas que tienen nieve dentro y un tipo de Seguridad del aeropuerto, de casi dos metros, me dijo que superaba el agua permitida. Yo, mientras, pensaba: «Se supone que es nieve; inútil». Y él seguía obsesionado con que la dejáramos en la maleta y la facturáramos.

Le dije con una de mis sonrisas irónicas:

—Algún día, tipo alto, espero que te quedes sin andar y te topes con un capullo como tú que te mande lejos para facturar una puta bola de nieve. Si pasa, avísame, no me lo quiero perder.

Quería meterme en un calabozo, pero no lo hizo. No queda bien encerrar a una niña de siete años que va en silla de ruedas.

Odio los aeropuertos. Siempre se les ocurre la brillante idea de que deje mi silla de ruedas electrónica para guardarla en la bodega del avión. Y nunca me la devuelven en el mismo estado. A veces está rota, otras magullada. Y es que no entienden que forma parte de mí.

Hace poco he iniciado una cruzada contra los escalones, hay tantos para ir a tantos sitios y a tantas tiendas. Es una locura y, si hay un escalón, no puedo entrar.

El lema de mi cruzada es: «Si no entramos todos, no entra nadie».

Creo que es un buen lema. Si todos lo pusieran en práctica, si dijesen esa frase antes de entrar en una tienda con escalones, estoy seguro de que cambiaríamos el mundo. Pero para qué pensar en los pocos que tienen problemas, si tú levantas la pierna y superas el escalón. Egoístas.

Espero que algún día, si alguien me lee, comience a hacerse vídeos en las redes sociales diciendo esa frase delante de los establecimientos. La puta legislación sólo obliga a que estén adaptados los locales nuevos, los antiguos tienen patente de corso. Cabrones.

La gente quiere que seas dócil porque vas en silla de ruedas. Yo no lo soy. Además, ¿cómo puedo serlo si me paso el día oliendo culos? Voy a su altura. Culos en verano y culos en invierno. Algunos valen la pena, pero la mayoría, ya me entiendes, son sólo culos.

Hoy me he caído de la rampa del autobús. Se ha atrancado y me he caído. No me gusta caerme de la silla, me siento desnuda. He llamado a mamá y papá y he llorado.

Papá me ha dado la bolsa para vomitar que tiene la forma del mundo. Cuando me pongo muy nerviosa me la da y soplo, y el mundo es del tamaño que yo deseo. Mis problemas terrestres son tan grandes o tan pequeños como mi respiración. Madre me ha peinado con su mano izquierda, me gusta cuando me acaricia con la mano izquierda. Les quiero.

Al rato me he vuelto a sentar en la silla, he cogido mi plato de propinas y me he colocado en mi esquina favorita. Me he sacado doce euros en tres minutos. Les doy mucha pena si dejo un platito delante de mi silla de ruedas y pongo mi mejor cara triste.

El chico que me ha dado los últimos dos euros era extraño. Podía sentir que me oía el corazón, os lo juro. Me ha preguntado si soy una espabilada. Le he dicho que sí y me ha invitado a ir con él a ver mundo.

No sé qué haré. Me gustaría. Quizá lo haga. Le he contado mi teoría del escalón y se ha puesto a hacer un graffiti con mi frase en los peldaños de una tienda a la que yo jamás podría acceder. Me ha encantado. Tiene algo delicioso que me entusiasma.

Creo que me iré con él. Me parece una gran idea. Al fin y al cabo, soy una espabilada. Lo soy.

HAMBRE DE ÍDOLOS

UNA PELÍCULA DE ALBERT ESPINOSA

«BORRA LO QUE PESA.
SOMOS LA MEDIA DE LAS SIETE PERSONAS
QUE TENEMOS ALREDEDOR. PARA CAMBIAR,
HEMOS DE CAMBIAR A UNA DE ELLAS,
NO HAY MÁS.»

LA DAMA DE 94 AÑOS

«Y SI RESULTA QUE UN TROZO DE MADERA
ES UN VIOLÍN...»

ARTHUR RIMBAUD

Él es fan. Su profesión es ser fan. No puede dejar de ser fan de alguien en ningún momento de su vida. Cantantes, actrices, deportistas, directores de cine... Tiene innumerables ídolos.

Va a las firmas, asiste a los conciertos, escribe tuits y colecciona todo lo que puede. Participa en blogs, en clubs de fans y en cualquier tipo de acto relacionado con sus ídolos.

Siempre tiene ídolos porque la sociedad continuamente los crea. Posee miles de autógrafos y fotografías de todos a quienes ha adorado.

A él no le gusta salir en las fotos, su peso alcanza tres cifras y eso le disgusta. Su deseo es bajar hasta las dos cifras, pero está lejos de conseguirlo. Aunque algún miércoles comienza un régimen y al siguiente viernes siempre lo deja.

Tiene un armario lleno de ropa que no le cabe, pero que es de la misma talla que usan sus ídolos. No se la pone nunca porque no le entraría, pero eso no evita que una vez al día mire ese armario con una felicidad extrema. Después abre el suyo y se le cae el mundo al suelo.

Sólo vive para sus ídolos. Los anima si les ve tristes, se interesa por sus creaciones, asiste a ensayos abiertos al público y corea el nombre de sus futbolistas favoritos.

No hace distinciones, ama a chicos y a chicas por igual, los sigue a todos siempre que tengan talento, eso es lo importante.

Además, jamás los abandona, aunque la ola de la novedad traiga a alguien más fresco. Siempre les continúa dedicando tiempo, aunque estén en un momento bajo.

Incluso a veces sigue a gente que no hace cosas buenas, pero que le parecen creativas. Hubo una temporada que quedó impresionado con aquel psicópata que secuestró a una chica y la obligó a tener dos hijos.

Los admirados a veces le recuerdan por su peso, con otros ha llegado a intercambiar tuits y algo parecido a una amistad. Con aquella chica que cantaba tan bien hasta llegó a pensar que podía pasar algo, pero enseguida se dio cuenta de que sólo estaba siendo amable con él. Su pequeño don es saber, en quince segundos, si caerá bien a alguien o no. Supone que es así de rápido porque ése es el tiempo exacto que acostumbra a pasar con sus famosos cuando los conoce. Quince segundos mirando el rostro de alguien es suficiente para saber si te va a engañar.

Y, de pronto, no supo bien por qué, pero se hizo famoso. Él, que jamás había buscado la fama, porque no tenía ningún talento. Pero, un día, un programa de televisión buscaba a fans y se presentó. Pensó que sería uno más, pero enseguida todo el mundo se dio cuenta de que él era único en aquello. Quedaron fascinados por él y respetaron su amor por los ídolos y lo bien que les trataba.

Después del programa comenzó a tener multitud

de admiradores, hasta sus propios ídolos le seguían y le agradecían que fuera fan de ellos, pero le dejaban claro que era hora de permitir que ellos lo fueran de él.

Fue una locura colectiva. Escribieron un libro sobre él que se vendió de forma brutal a nivel mundial. Tuvo que ir a firmas, pero no a esperar sus quince segundos de contacto con el famoso. Ahora el famoso era él y la gente hacía cola para fotografiarse a su lado.

No le gustaba. Él siempre había sido invisible y ahora todo el mundo le veía y le amaba. No podía seguir a nadie porque enseguida le reconocían, sus tres cifras le delataban. Comenzó a quedarse en casa, le consumía esa fama no deseada por amar la fama.

Y casi sin quererlo perdió peso y llegó a las dos cifras añoradas. Y con los meses bajó tanto que comenzó a caberle toda la ropa del armario que no dejaba de ser un altar a lo imposible. Pero al ponérsela y observarse se dio cuenta de que aquél ya no era él. No conocía al chico que le miraba. No era fan de sí mismo.

Y lo tuvo claro. Decidió que debía hacerse fan de sí mismo, amarse, amar su caos. Se miraba cada día en el espejo, cosa que jamás había hecho hasta entonces, no era de los que se miraba ni el reflejo ni tampoco el ombligo.

Finalmente, con el tiempo, se aceptó. Se tranquilizó al quererse, al amarse, al hacerse fan de sí mismo. Amó su caos y el peso volvió. No pasaba nada.

A los pocos meses, encontró una chica que no sabía quién era él, se enamoraron y tuvieron gemelas. Él era muy feliz con sus dos pequeñas que sólo tenían una cifra. Las miró y quedó prendado de ellas. Se dio cuenta de que sería fan de aquellas dos personas el resto de su vida. Fan de algo que él había creado.

Y su fama... Es verdad, no os lo he contado: su fama desapareció, fue flor de un día. No le importó, no valía la pena nada de lo que le había aportado.

LAS ALAS
DEL CANGURO

UNA PELÍCULA DE
Albert Espinosa

«LO MEJOR DE ESTE MUNDO ES LA GENTE BUENA.
ELLOS SON MI RELIGIÓN,
LO QUE ME HACE AMAR ESTE MUNDO.
PERO RECUERDA QUE LOS MEJORES SON
LOS QUE TIENEN PEOR SUERTE EN ESTA VIDA.»

LA DAMA DE 94 AÑOS

«EN ESTA VIDA SIEMPRE HEMOS DE POSEER
LA IMAGINACIÓN DE UN NIÑO Y LA FUERZA DE UN ADULTO
PARA SACAR ADELANTE ESOS SUEÑOS IMAGINADOS.»

HENRI MATISSE

Estudiaba Medicina y arrastraba un cansancio eterno. Nunca tenía suficiente dinero y por ello trabajaba haciendo de canguro y escribiendo cuentos breves para editoriales.

Un día me tocó cuidar del ser más apasionante que he conocido. Ella tenía cuarenta años y era especial. No sabría definirla de otra manera. Habría gente que diría que tenía un retraso, que era deficiente, pero nada de eso es cierto, era especial. Es lo que mejor la define.

Su hermano quería hacer un curso de baile y tenía que salir una hora cada día. Era un tipo extraño, solitario, especial como su hermana, pero en un sentido más oscuro. No sé definirlo mejor.

No sabía bien qué había pasado con aquella pareja de hermanos, pero arrastraban dolor y conseguían transmitírselo a todo aquel con quien tenían contacto.

Al principio me costó conectar con ella. Yo tenía veinticuatro años y era convencional. Ella cuarenta y, como os he dicho, era especial.

Me marcó desde la primera vez que le hice de canguro. Su sinceridad, su forma de mirarme y escucharme me dejaron totalmente embobado.

Como os he dicho, yo escribía cuentos para una editorial, nada bueno, todo basura, copiado de los grandes, de los que sí sabían. Sólo intentaba pagarme aquella carrera de Medicina que en realidad tampoco me entusiasmaba.

Ella me pedía que le leyera mis cuentos y de fondo poníamos la música de los ensayos de baile de su hermano. Algún día sonaba foxtrot; otro, boleros y, a veces, vals.

Me escuchaba y, cuando acababa, se reía porque enseguida adivinaba de qué cuento lo había plagiado. Acabamos bailando al ritmo de aquella música de salón.

Su risa era hermosa, real, infantil. Hubiera pagado mucho dinero por poseer todavía la risa de mi niñez. Pero nos ventilamos esos sentimientos para crecer, cuando hacerlo sólo te aporta rutina. Todo se parece a todo, eso es crecer.

Su hermano, Alex, iba pasando cursos de baile. Subiendo grados, no sé si le daban cinturones de colores como en el kárate por cada danza que dominaba.

Yo cada día me sentía mejor junto a ella. Cuando llegaba a su casa me desarmaba, desconectaba totalmente mi móvil para que nada de mi absurdo mundo inundara su perfecto universo.

¿Puedes enamorarte de alguien que es tan especial que el resto de la sociedad pensaría que tiene una deficiencia cuando en realidad son justamente ellos quienes la tienen?

La última noche que pasamos juntos, a su hermano le tocaba bailar un vallenato colombiano y ella me pidió que le contase un cuento de verdad. Algo que saliese de mí y que no plagiase a nadie.

Me costó hacerlo porque estaba anestesiado, acostumbrado a no sacar nada auténtico de mí mismo. Pero finalmente recordé algo que me pasó de pequeño y le conté lo siguiente:

«Hay una historia, es real, pasó cuando yo tenía doce años. Fue durante uno de esos veranos calurosos en los que sólo con levantarte notas y sientes lo bien que se está.

Pues ese primer día de verano conocí a Daniel. Tenía mi edad y nos parecíamos, enseguida nos hicimos amigos.

Y una tarde cada uno confesó al otro su gran sueño. Hablo de ese gran sueño que todos tenemos, ¿sabéis? Pues eso es lo que nos contamos en ese sueño.

Los dos soñábamos con volar, con tener alas y volar. Seguramente porque lo que vivíamos en casa no era nada agradable.

Y lo vimos claro: volaríamos, seguro que, si nos lo proponíamos, si creíamos en los sueños, ellos se crearían.

Y todos los días de ese verano de calurosos despertares, uno iba a buscar al otro a su casa, y lo primero que hacía-

mos era ir a la piscina, quitarnos las camisetas y mirarnos las espaldas reflejadas en el agua, esperando a que nuestras alas hubieran crecido.

Pero no había suerte, no había alas. Pero aquello no conseguía desilusionarnos, sabíamos que tarde o temprano aparecerían.

Así que cada día hacíamos lo mismo: levantarnos a las ocho, ir a la piscina, quitarnos la camiseta y mirar nuestra espalda reflejada en el agua.

Fue el mejor verano de mi vida.

Y el último día de aquel verano, fui a buscar a Daniel y encontré que en su casa estaba estaban todas las persianas bajadas. Toqué el timbre y nadie abrió; entonces vi llegar a su madre de la calle y me dijo que Daniel había sufrido un ataque al corazón y había muerto. No me lo podía creer, empecé a llorar delante de su madre y no dejé de hacerlo en todo el día.

Mi abuelo me vio y me preguntó qué me pasaba; se lo expliqué todo y me dijo que no tenía que llorar, que Daniel había conseguido su sueño, por fin tenía sus alas para volar.

Y delante de mi abuelo dejé de llorar.

Y siempre que he recordado a Daniel he sonreído. Y muchas veces que he mirado una piscina, me ha parecido ver reflejado a Daniel con sus alas mimándome y protegiéndome...»

Cuando acabé de contarlo, ella estaba llorando. La abracé y, sólo con hacerlo, noté cómo estaban a punto de salirle las alas. Era brutal, sentía cómo estaban creciendo.

Me di cuenta de que ambos parecíamos salidos de cuentos. Que ambos deseábamos juntar nuestras vidas y salirnos de la norma.

Hicimos el amor y luego nos escapamos de aquella casa. Ella dejó una nota para su hermano y la colgó de un maniquí que siempre presidía aquella sala.

Ahora vivo junto a ella una vida de cuento. No hago nada de lo que estaba acostumbrado a hacer y soy más feliz que nunca porque, cuando dejas de aspirar, comienzas a respirar. Sólo espero que, cuando le salgan las alas y tenga que marcharse, esta vez me lleve con ella.

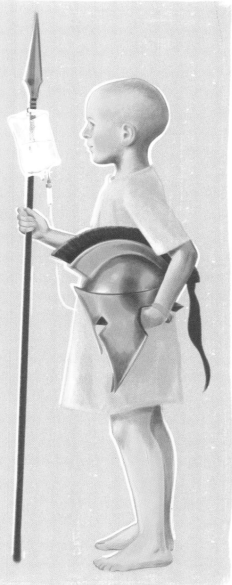

UNA PELÍCULA DE
ALBERT ESPINOSA

CHICOS
QUE SOÑAMOS
BATALLAS

«ÉSTE ES EL PRIMER CUENTO QUE ESCRIBÍ,
ANTES DE "PULSERAS ROJAS", CUANDO AÚN ESTABA
ENFERMO EN EL HOSPITAL LUCHANDO CONTRA UN PAR DE TUMORES.
PARTE DE TODO LO QUE SERÍA AQUELLA SERIE ESTÁ EN ESTE PEQUEÑO
RELATO. TODAS LAS ILUSIONES POR VIVIR PERDURAN AQUÍ.
NO ME HE ATREVIDO A TOCAR UNA SOLA COMA DEL ESTILO DE AQUEL
CHICO QUE NO LLEGABA A LOS DIECIOCHO AÑOS PERO QUE SOÑABA
CON VIVIR, PORQUE AQUELLO NO ERA UN RELATO, ERA UN GRITO
ESPERANZADO. ALGUIEN QUE CLAMABA POR TENER UN FINAL DIGNO
A LA ALTURA DE LA LUCHA EN LA QUE PARTICIPABA JUNTO
A SUS AMIGOS CON PULSERAS ROJAS.»

ALBERT

«NO PUEDO CAMBIAR LA DIRECCIÓN DEL VIENTO, PERO SÍ
AJUSTAR MIS VELAS PARA LLEGAR SIEMPRE A MI DESTINO.»

JAMES DEAN

Esta historia, como muchas otras, está contada bajo un prisma: el prisma de una vida.

Lo curioso es que siempre que cuento esta historia, su final difiere. No sé si es que yo la modifico o es que la vida me modifica a mí y, a la vez, a mi historia.

«… Un 13 de enero me detectan un tumor a la altura de la rodilla izquierda. El nombre científico: Osteosarcoma; el popular: Cáncer…»

Pero no nos equivoquemos. Como en un asesinato, el Cáncer fue el móvil, la razón por la cual mi vida dio un giro de 180 grados y, poco a poco, me dejé a mí para convertirme en yo. Y es que cuando te detectan Cáncer has de transformarte, convertirte en otro. Quitarte parte del nombre o crear un traje de superhéroe. Algo que te ayude a luchar.

«… Un 20 de junio me quitan el tumor junto con la tibia y me implantan una endoprótesis de Kotz…»

Entre estas dos frases hay unos seis meses de diferencia. Darte cuenta de que la palabra «Amigo» debería comenzar siempre con mayúscula porque es algo propio, una garantía de ayuda, de amor y de cariño.

Quizá la otra columna, como si de dos muletas se tratara (las cuales me «ayudaron» y me «dirigieron»), fue la familia. Aquella que crees que sólo sirve para estar y que luego resulta que simplemente por eso ya te sientes acompañado.

Sin mis hermanos sería menos consciente de mi propia realidad de ser el del medio. Sin mi padre y mi madre sentiría que me falta un todo, ya que las manos de una madre y el abrazo de un padre son impagables. Sin mis Pulseras y mis Amigos no sería nada, no tendría ese ánimo para sonreír cada día.

«… Un 4 de abril se detecta un segundo tumor en la misma zona que el primero, justamente encima de

la endoprótesis. Vuelve a haber diferencias entre el nombre científico, "Recidiva", y el popular, "Gran Putada"...»

Recuerdo que al enterarme decidí llamar a mis Amigos y a mis Pulseras. Dos años antes, mis Amigos se enteraron de la verdad (Cáncer) veinticinco días más tarde, pues mi padre me aconsejó que utilizara la palabra «quiste» en lugar de «tumor». Ahora deseaba que lo supieran enseguida, les debía el dolor inmediato.

Fueron las llamadas más difíciles que he hecho nunca: telefoneaba, les contaba lo que pasaba (Cáncer nuevamente) y lo que creería que ocurriría (perder la pierna). El silencio que se producía a continuación era inevitable, pero era un silencio de Amigo, de aquellos de querer decirlo todo y no poder articular nada. Aquel día comprendí que para expresar tus sentimientos no son necesarias frases largas, sino silencios cortos.

Después de cada llamada, lloré. Lloré, pues a partir de aquel momento debería ser todavía más fuerte y, si alguna vez no llegaba a serlo, quienes me rodeaban en aquellos momentos y a quienes llamaba me darían su energía.

A los Pulseras los reuní en la cuarta planta y no hicieron falta palabras, no hizo falta decir nada, ellos supieron que aquello volvía y que la lucha debía continuar. Era un mordisco más profundo, pero sólo un mordisco.

«... Un 23 de abril, me amputan la pierna izquierda por encima de la rodilla. La operación fue "un éxito", según palabras de mi médico...»

Y así perdí a quien estuvo al lado de la derecha, aquella en la cual yo me apoyaba.

Recuerdo que durante los días que transcurrieron desde que ingresé en el hospital hasta la amputación, sólo lloré una vez más, el día anterior a la operación, después de mi último baile con dos piernas con una enfermera. Fue una fiesta inolvidable, obsequio de mis Pulseras. Fue una manera de despedirme de la pierna y de agradecerle que me hubiera acompañado durante todo aquel tiempo. La enterré y eso me da la posibilidad de decir que tengo un pie en el cementerio y me permite levantarme siempre con el pie derecho.

«... Otro 13 de enero se cumplen cinco años de la detección del Cáncer. Mi médico dice que ya estoy

"fuera de protocolo" y que los controles serán anuales. El peligro de recidiva es casi inexistente..."

Y quizá os preguntaréis: ¿el chaval de catorce años que comenzó aquella singladura se parece en algo al chaval de veintidós que está fuera de protocolo?

Y yo os respondo: perdí una pierna, perdí el pelo durante la quimioterapia, perdí algunos «Amigos» que seguramente sólo eran «amigos», pero gané saber lo que unos Amigos, unos Pulseras y una Familia son capaces de darte. Y que la vida se mira según el prisma que te toca vivir y esto sólo se consigue ayudando y recibiendo ayuda.

«... Un año más tarde, sin hacer caso de estadísticas, el Cáncer vuelve a declarar la guerra; esta vez, el escenario de la batalla es un pulmón y el hígado. Una vez más, el ejército formado por la gran familia que tengo y los fabulosos Amigos y Pulseras que poseo consiguen repeler el ataque. La lucha se salda con la pérdida del pulmón izquierdo y de un trozo del hígado en forma de estrella, pero todos sabemos que en realidad hemos vuelto a ganar porque cualquier pérdida es una ganancia y que algún día la guerra acabará...»

Sé que dentro de unos años recordaré pocas cosas sobre mi encuentro con el Cáncer. Lo malo lo olvidaré, es increíble la capacidad que tiene el ser humano para bloquear algunos recuerdos.

Pero siempre recordaré que un día soñé que el Cáncer no era algo que la gente relacionaba con la muerte, algo que les daba miedo, algo que no acababan de comprender, sino un mayúsculo recuerdo de la valentía que cientos de miles de personas demostraron.

Y estoy plenamente seguro de que, si creemos en los sueños, ellos se crearán, porque el creer y el crear están a una letra de distancia. Algún día espero encontrar la manera de contar esta historia a la gente. Mientras tanto, seguiremos siendo chicos que soñamos batallas que jamás perderemos.

HOY
PASARÁS
AL OLVIDO

Una película de Albert Espinosa

«CUANDO HAS TOCADO EL CIELO MUCHAS VECES,
DEBES OBLIGARTE A SALTAR MÁS ALTO.
Y ES QUE, SI LOS SUEÑOS SON EL NORTE DE NUESTRA VIDA,
SI LOS CUMPLIMOS HEMOS DE IR AL SUR.»

LA DAMA DE 94 AÑOS

«LA JUVENTUD SERÍA ABSOLUTAMENTE PERFECTA
SI LLEGASE UN POQUITO MÁS TARDE.»

HERBERT ASQUITH

«No volverás a tener sueño»; «Vivirás las 24 horas del día»; «La noche no acabará nunca». Ésos fueron los primeros eslóganes de la Setamina XL. Un año más tarde, la publicidad fue todavía más agresiva: «¿Eres de los que vives o de los que duermes?»; «Las jirafas sólo duermen 7 minutos al día. Y tú, ¿duermes más o menos?».

Los primeros en tomarla fueron los famosos. A través de las redes sociales podías ver el cambio. Todos parecían más felices y, sobre todo, más vitales. Parecía que, si querías formar parte de aquel cambio, debías probarla.

La primera persona que conocí que dejó de dormir fue mi jefe en la empresa eólica donde trabajaba. Lo hizo por miedo a perder su estatus. Y es que algunos creían que, si no la tomaban, perderían el empleo; otros creían que perderían amigos, y la mayoría creía que desaparecería el amor.

Decían que casi no tenía efectos secundarios. Excepto el dejar de dormir y de soñar, la sequedad de ojos y el aumento de peso.

Los dos primeros eran obvios porque era el resultado que se quería conseguir. Lo de los ojos imaginaba que era por el poco descanso que les dabas y el aumento de peso era debido a que, quienes no dormían, comían cinco veces al día: desayuno, comida, cena, rem y sueño. No sé a quién se le ocurrieron esos nombres. El «rem» era como una cena a las dos de la madrugada. Y el «sueño» se tomaba hacia las cinco de la mañana y era algo más dulce, como una merienda nocturna.

Siempre creí que los fabricantes de camas se morirían de hambre. ¿Quién querría camas enormes o colchones gigantescos dentro de una casa si no hacía falta dormir? Pues mucha gente. No caí en que la función del sexo estaba muy vinculada a aquel objeto y que la mayoría no deseaba practicarlo sobre otro elemento.

Y la verdad es que la frecuencia en la práctica de sexo aumentó mucho. Las seis de la mañana es ahora la hora más popular para practicarlo.

Dicen los que lo han tomado que hay pocas cosas más entretenidas que hacer a esas horas en una noche de invierno si no quieres «soñar» un batido de piña.

Tres años más tarde, el mundo se dividía entre los que dormíamos y los que no. Todos parecían querer dejar de dormir, pero el elevado precio de la Setamina XL impedía a muchos entrar en la nueva era de vivir las veinticuatro horas del día.

Es cierto que ese cambio trajo ventajas. El paro se redujo prácticamente a cero, pero no estoy seguro de si la felicidad aumentó siquiera una décima. Y es que mucha gente tenía que trabajar el doble, los turnos eran más largos. Además, si no duermes, tienes más gastos y, si tienes más gastos, necesitas más dinero.

Al principio no podía permitírmela. No tenía suficiente dinero, aunque creo que era de los pocos que la necesitaba de verdad.

Era mi sueño desde que salió. Deseaba tomarla. Pero no porque mis días fueran largos ni para vivir las veinticuatro horas. Era por algo mucho más práctico... No deseaba seguir soñando.

No es que me molestara soñar, con lo que no podía era con las pesadillas. Cada día tenía terribles sueños con la persona que había abusado de mí de pequeño. Aquel hombre fue atrapado y juzgado por maltrato. Murió poco tiempo después en una cárcel porque otro preso consideró que su castigo no era suficiente.

Pero, para mí, jamás murió. Para mí sigue vivo cada noche en mis sueños. He ido a psicólogos, he tomado medicación. Pero si habéis tenido pesadillas difíciles, sabéis que todo eso no sirve de nada. Los recuerdos vuelven y vuelven.

Yo me dedico a arreglar molinos eólicos. Y muchas veces, cuando estoy en lo alto del molino, me siento seguro. No me da miedo caerme ni temo que me pase nada malo, para mí estar allí es el oasis, libre de todos mis miedos. Los que hemos sufrido abusos amamos la soledad, porque si estás solo, no te puede pasar nada malo.

Pero él también tiene su parcela: mis sueños. Mejor dicho, la ha tenido hasta hoy porque esta noche voy a tomar la Setamina XL. He pedido un crédito casi imposible de devolver que me convertirá en un esclavo las veinticuatro horas del día durante unos cuantos años de trabajo. Pero ya no puedo más, así dejaré de ser un cobarde que quiere suicidarse. No me educaron así, no luché tanto de pequeño para abandonar la partida tan fácilmente.

Hoy la tomaré. No lo haré solo. Mi novia estará conmigo. Añoraré verla despertar cada mañana, me gusta la tranquilidad que irradia, pero ella sabe que eso no me es suficiente para conseguir mi felicidad completa.

Esta noche es la última que dormiré, quiero despedirme de él, quiero que sepa que quemo su último refugio. Deseo que lo sepa.

Le he escrito una carta que dejaré debajo de la almohada. En ella expreso todo lo que siento. Miraré por última vez cómo se apaga mi novia, disfrutaré viéndola despertar y luego la tomaremos. Y, lo más importante, le diré al monstruo en la misiva que hoy pasará al olvido...

Hoy pasarás al olvido.

Debo pasar página para sobrevivir.

Supongo que la furia de mi odio impide que te marches. El odio siempre se justifica, te recuerda sus motivos en sueños, para que sepas que tiene razón. Y como tiene acceso a todos mis recuerdos, me los va lanzando cada noche.

Hoy pasarás al olvido porque temo que, si no lo hago, siga yéndome a dormir con miedo y despertando con angustia. Y eso no es vida, eso es el dolor más grande que existe, causado por seguir anclado en un pasado que ya no existe.

Hoy pasarás al olvido y quemaré tu última guarida.

*Tu víctima reconvertida
en tu verdugo*

Sueños en forma de tela

Una película de Albert Espinosa

WINNER
RAUVILLE GOLD
GREAT AWARD
2018

FIRST AWARD
SOILE GEEG INTERNA
WINNER
2018

WINNER
AWÁRD GOLD PRIX
GRAND AWARD
2018

GREAT AWARD
JANDE KAYE HOFEL JUR
WINNER
2018

«AMA TU CAOS, AMA LO QUE DESEES Y LO QUE NECESITES
SIEMPRE QUE NO HAGAS DAÑO A OTRA PERSONA.
LO IMPORTANTE ES AMAR. SI TE HACEN DAÑO,
DIRECTAMENTE A LA PAPELERA. NO HAY EXCUSAS.»

LA DAMA DE 94 AÑOS

«CUANDO UN SER NO ES CAPAZ DE AMAR
O DE REALIZARSE CREATIVAMENTE,
ESTÁ EN MANOS DE LA DESTRUCCIÓN.»

CÉSAR MANRIQUE

Cada día, a las ocho de la mañana, me pongo nervioso. Bueno, nos pasa a todos, nos incorporamos y esperamos a que la puerta se abra y entre Alex con su camisa negra y sus grandes ojos que nos miran casi sin pestañear.

En la tienda, las noches son difíciles y largas, hay mucho silencio. De vez en cuando, desde la calle llega alguna voz, pero dentro el silencio siempre prevalece. Por eso todos soñamos con el amanecer, que en nuestro caso se produce en el instante en el que Alex levanta la persiana y la luz del centro comercial invade todas nuestras secciones.

«¡Las ocho, por fin son las ocho!», gritan todos al unísono. La persiana sube lentamente, con parsimonia. Y aparece Alex y nos mira. Todos intentamos llamar su atención: nos descolocamos la corbata, nos arrugamos la camisa. Todo para que él se acerque, nos mire y nos arregle un poco.

Normalmente nada más llegar ya tiene un detalle con cada uno: a uno le recoloca la chaqueta, a otro le abrocha un botón y a algún afortunado lo gira unos grados y la visión de todo su universo cambia por completo.

Una hora después comienza el infierno: la tienda se abre al público y entra un montón de gente. Yo les tengo mucho miedo. Sobre todo porque recuerdo que hace años, cuando era más pequeño y estaba en la sección infantil, los niños me daban patadas. Incluso intentaban arrancarme los brazos, era horrible. Todavía tengo pesadillas cuando pienso en aquello.

Ahora, en la sección de caballeros, todo parece mejor pero en realidad es igual de terrible. No me dan patadas ni me intentan arrancar los brazos, pero siempre quieren desnudarme. A veces me pregunto si a ellos les gustaría quedarse sin ropa en público. Todo el mundo desea el conjunto que vestimos y piensa que es el ideal para ellos. Siempre parece que sienta mejor la ropa que llevamos nosotros.

Cuando las puertas se abren al público, yo tengo mucho miedo, tiemblo mucho porque pienso que van a despedazarme. Son traumas de la infancia, lo sé. Alex también lo sabe y, antes de abrirlas, siempre se acerca y me acaricia suavemente la cabeza. Me gusta cuando lo hace, me gusta mucho.

Las nueve: las puertas se han abierto, suena el horroroso hilo musical y comienza la locura. Gente buscando la ropa que mejor le sienta, pidiendo tallas que no son la suya y solicitando más tarde la correcta, mirándose en espejos, consultando a amigos... Sueños en forma de tela.

Incluso hay gente que a veces se lleva tallas equivocadas adrede porque esperan caber algún día en ellas. Quizá lo más divertido fue esa vez que venía aquella chica casi cada día y compraba ropa de estilos totalmente diferentes. Parecía bipolar hasta que un día aparecieron dos chicas iguales en la tienda y nos dimos cuenta de que eran gemelas. Fue genial ver reír a Alex a carcajada limpia.

Pero la verdad es que casi nunca pasa nada tan divertido. Las horas transcurren lentamente y todos tenemos pavor de que algún cliente se fije demasiado en nosotros, que se acerque despacio y comience a tocar alguna prenda que llevamos puesta. Cuando esto sucede, sabemos que el siguiente paso es intentar quitárnosla.

Y de pronto, ocurre. Un chaval joven se acerca a mí. Me mira la camisa. La toca. Observa la talla. Y, como un poseso, intenta sacármela. Yo me asusto mucho y comienzo a temblar. Está a punto de despedazarme, pero entonces aparece Alex.

Le explica al chico que la ropa no se puede coger: «No se quita la ropa de los maniquíes». El chico protesta diciendo que quiere esa camisa, que es la única que queda de su talla y que además el cliente siempre tiene la razón. Ellos siempre repiten esa frase como monos amaestrados.

Alex se muestra implacable y se lo repite muy despacio: «No se quita la ropa de los maniquíes». Cuando hace eso es mi héroe. El chaval comienza a pedir más explicaciones, a solicitar que vengan los superiores, a querer el libro de reclamaciones.

Pero Alex no se amedrenta. Los demás miran. Me

siento muy importante. El chaval está furioso. Alex está tranquilo. Yo tiemblo y casi se me cae la cabeza.

Y de pronto el chaval desiste. Suele ocurrir cuando al final se dan cuenta de que sólo es ropa. Siento que todos a mi alrededor suspiran aliviados y entonces noto que Alex me toca la cabeza, me da un beso en la mejilla y me susurra: «Tranquilo, Noé, ya pasó todo».

¡Uau! Me llamo Noé, no lo sabía. Me emociono. Él tiene nombre para todos, pero jamás me había dicho el mío. Estoy en una nube.

Las ocho de la tarde, el último comprador se marcha sin decidirse. En la tienda está a punto de anochecer. Alex quita el hilo musical y pone la canción de The Cure *Boys Don't Cry*. Es su tema de cierre, es lo esperado después de tanto hilo musical absurdo.

Cuando hace eso, sabemos que uno de nosotros va a ser muy afortunado. A Alex le encanta bailar, algún día será famoso por ello, lo hace genial. Es increíble que los dos únicos animales del planeta que saben seguir el ritmo de la música seamos nosotros los humanos y los papagayos. Debe de tener algo que ver con la imitación de los sonidos.

Alex nos mira a todos, que intentamos seducirle con nuestras mejores galas porque queremos ser su pareja de esta noche.

Y entonces siento que por primera vez seré el elegido. Noto cómo se acerca lentamente, me coge entre sus brazos y comenzamos a bailar lentamente al ritmo de esa preciosa canción.

Y en ese momento me siento el ser más feliz de todo el Universo. Le quiero contar que soy alérgico a las flores de papel y que, si pones en un mapa mi índice y mi pulgar, es justo la distancia entre París y Sevilla. Pero no digo nada, sólo disfruto del baile.

Después él cierra la tienda, anochece para todos nosotros y se va.

Ojalá pronto sean de nuevo las ocho. Ojalá me toque bailar alguna otra vez con él. Ojalá algún día me saque de aquí y pueda ver mundo. Ojalá...

«SOMOS TRAUMAS DE LA INFANCIA.
CONTRA ELLO LUCHAMOS EL RESTO DE NUESTRA VIDA.»

LA DAMA DE 94 AÑOS

«NO BUSQUES CULPABLES,
SINO REMEDIOS.»

HENRY FORD

Desde pequeño buscó amigos, aunque jamás lo logró. Con diez años ya lo habían echado de más de cinco grupos. En su adolescencia jamás cayó suficientemente bien a nadie como para formar parte de otros. Siempre fue repudiado. Pensó que un chaval del colegio que sufría bullying querría ser su amigo, pero también lo despreció.

Pensó que era por su forma de ver el mundo o porque simplemente no era bello. La verdad es que era invisible tanto para los chicos como para las chicas.

Se sintió un fracasado por su poca capacidad de hacer amigos y por la falta de vida sexual y amorosa. Sabía que los humanos eran mamíferos sociales y necesitaban de las relaciones.

Cuando llegó a la universidad pensó que aquélla era una oportunidad para reinventarse. Así que decidió cambiar cosas de su aspecto físico y hasta modificó todo lo que pudo su carácter. Limó defectos de su personalidad y buscó un hobby que fuera del agrado de todo el mundo.

Nada sirvió. Seguía siendo un incomprendido y no era aceptado.

Cuando acabó la universidad decidió que no volvería a cambiar por nada ni por nadie. Su último intento fue ir a un psicólogo especialista en rechazo.

Él no se sentía exactamente rechazado por la sociedad, sino que se consideraba tan diferente que creía que nadie daba el paso para comprenderle. No odiaba al mundo, en aquella época tan sólo se ignoraban mutuamente.

El psicólogo era un tipo áspero con el que tampoco congenió. No le escuchaba, y eso que era su trabajo. Al final de la sesión, era él quien acababa teniendo que prestar atención a todo lo que aquel especialista decía.

La gran solución de aquel psicólogo fue culpar a su familia y recomendarle prostitutas terapéuticas. Pagar por sexo era el consejo de la persona a la que pagaba para que le escuchara.

No pensaba comprar el amor de la gente. De los veinticinco a los cuarenta y cinco su vida fue su trabajo. Llegó a ser uno de los grandes en su especialidad. Aunque ésta, todo sea dicho, no era importante ni reconocida por la gente. Creo que ni en su propio bloque de quince pisos sabían a lo que se dedicaba, tan sólo escuchaban el portazo cuando salía de casa a las seis de la mañana y el sonido contrario de abrirla cuando llegaba a las nueve de la noche.

La vida pasa deprisa, aunque estés solo. Tus jugadores favoritos pronto se convierten en entrenadores, tus grupos preferidos se separan y vuelven para una última gira. Y, poco a poco, acumulas recuerdos; cuantos más tengas, más has vivido.

Él tenía muchos, pero siempre con final triste. Se enamoró varias veces. En una ocasión envió una carta a aquella compañera de trabajo, pero ésta ni tan siquiera le respondió y utilizó la táctica de los cobardes que no se implican emocionalmente: ignorar al otro.

Cada desprecio le hacía más fuerte. Y, con los años, se dio cuenta de que nadie le llamaba ni le enviaba mensajes.

De los cuarenta y cinco a los sesenta y cinco comenzó a sentirse mejor. Encontró un hobby que le hacía feliz: hacía maquetas diminutas con sus manos. Dedicaba su soledad a construir ese mundo en miniatura repleto de edificios y gente.

A los sesenta y seis comenzó a encontrarse mal. El médico le detectó párkinson avanzado. No había nada que hacer, comenzaría a perder el equilibrio, temblaría, vería cosas que no existían y acabaría muriendo. Eso le dijo aquella doctora que le habló de forma seca y en la que percibió odio, aunque jamás se habían visto antes.

No le entristeció en absoluto, esperaba la muerte hacía tiempo. Soñaba con otra vida en otro lugar donde su vida social fuera mejor.

Una mañana, dos años después del diagnóstico, despertó y aparecieron aquellas personas que le miraban, eran como sombras reales. Se dio cuenta de que eran visiones que provocaba la enfermedad, de las cuales ya le había advertido aquella doctora malcarada.

Pero, en lugar de asustarse, se dio cuenta de que aquellas personas no eran terribles ni oscuras. Eran amables con él, las había de todas las edades y le hablaban con cariño.

Congenió enseguida con aquellas sombras. Se reían con sus bromas y hasta podía decir que él les gustaba.

Se enamoró de una de ellas, tuvo amistad con ocho más y todos juntos formaron un grupo precioso. Incluso había un par de niños y adolescentes con los que recuperó aquella infancia perdida sin amigos en la que se sintió tan perdido.

Aquellas sombras amigas le dieron amistad, amor y comprensión durante su último año de vida. Eran irreales para el resto del mundo, pero para él era todo lo que tenía.

La gente pensaba que estaba loco cuando lo veían por la calle riendo o hablando solo. Sentían pena por él, pero no sabían que él estaba más acompañado que nunca.

Cuando notó que su muerte se acercaba, lloró. Le daba pena perderlas. Las veintiuna sombras más importantes estaban junto a él cuando llegó el momento y sintió la presencia de cada una de ellas.

Aquella «terrible» enfermedad le había traído lo más bello de su vida y lo que siempre había añorado: compañía.

Con su último aliento sonrió. Había tenido una vida plena y repleta de sombras maravillosas.

UNA PELÍCULA DE ALBERT ESPINOSA

LA BELLEZA SIEMPRE ENCUENTRA SU CAMINO

«LOS QUE TE ROBAN EL TRABAJO, EL AMOR
O LAS IDEAS ACABAN RECIBIENDO SU MERECIDO.
NO TE PREOCUPES NI TE DEJES LLEVAR POR EL ODIO.
HAY UNA ESPECIE DE KARMA UNIVERSAL QUE
TE DEVUELVE CON CRECES TODO LO MALO QUE HACES.»

LA DAMA DE 94 AÑOS

«UN DÍA SE NOS ACABÓ EL NEGRO
Y NACIÓ EL IMPRESIONISMO.»

PIERRE-AUGUSTE RENOIR

Llegué a aquel campo de concentración en marzo, hacía frío. Es de lo poco que recuerdo de aquel momento. Era gay; para mí aquello no era un problema, para ellos sí.

Me detuvieron un martes, llovía. También es de lo poco que recuerdo de aquel día.

Al entrar en el campo de concentración supe que allí moriría. Lo presentí al instante. No sabía nada todavía de las cámaras de gas ni del sadismo que practicarían con nosotros.

Sentía que me detenían por mi forma de amar, porque era distinta a la suya. Pero mi arresto no era tan diferente al de los otros que había allí. Gente detenida por una minusvalía, por una creencia o por una raza.

Deseé que el mundo protestara, que alguien clamara contra aquella injusticia. Cuando hay tanta maldad, debería morir el que la practica. Debería haber un código de autodestrucción en el ser humano que es cruel, algo que lleváramos en los genes y que acabara contigo si superas un límite de maldad.

Lástima que no existiera porque, si no, todos aquellos carceleros, comandantes, generales y *Führers* caerían automáticamente fulminados al suelo.

Ellos se escudaban en que nuestras vidas no eran arias y no merecíamos existir. Me parece increíble que alguien se crea tan superior para decidir quién es apto para vivir y quién no.

A los dos días le reconocí. A primera vista era un joven soldado. Pero yo lo había conocido sin traje y había pasado junto a él tres noches. Fue mi primer gran amor, con dieciocho años, cuando me trasladé con mis padres de Estados Unidos a Alemania. Y yo creo, aunque nunca puedes estar seguro, que yo también fui el suyo.

Él también me reconoció al instante, aunque yo

llevaba aquella camiseta raída, aquel pantalón deshilachado y aquel triángulo rosa.

Creo que se sobrecogió. Pasé a su lado con el resto de los presos y enseguida me di cuenta de que todavía usaba la misma colonia, no la había cambiado aunque habían pasado tres años.

Aunque quizá no era una colonia, sino el olor de su cuerpo. Recuerdo que, para ser la primera vez, practicamos un sexo estupendo. En mi mente, aunque he estado con más chicos y chicas, él sigue siendo el que supo llevarme más lejos. Ese olor a Max siempre vuelve cuando lo necesito.

No sé si me explico, la gente habla tan poco de sexo que no puedes, casi nunca, compartir tus experiencias, porque no hay referentes claros.

Durante los días siguientes no volví a ver a Max. Casi pasaron tres semanas hasta que nos volvimos a cruzar. Yo comenzaba a sentir el dolor de aquel campo en todo mi cuerpo. Llegué a creer que me lo había imaginado. Simplemente había proyectado el deseo de que él estuviera allí y que me alimentara su imagen, su candor y su forma de mirarme. Y es que, si él estaba en aquel lugar horroroso, todo sería más fácil de superar.

Pero él estaba ahí, no era mi imaginación. La segunda vez que lo vi ya no parecía el mismo, el campo también le estaba pudriendo. Su rostro se había endurecido y diría que su olor había desaparecido. Me miró con asco y en un momento dado me empujó. No comprendí por qué, no le había hecho nada malo. Aunque aquello jamás importaba, podías cumplir sus absurdas normas y te molían a golpes igualmente.

Supuse que Max temía que yo pudiera hablar con alguien de aquellas tres noches que pasamos juntos, pero era absurdo, ¿quién me creería? Yo no tenía opinión, era peor que un perro, no suponía un peligro para él.

Pasaron los meses, los que fueron mis nuevos amigos comenzaron a desaparecer cuando iban a ducharse y aquel secreto, poco a poco, fue convirtiéndose en un secreto a voces.

Max cada día me dedicaba más golpes e insultos. Jamás me llamaba por mi nombre. Usaba palabras destinadas a mi condición. Era absurdo, pues era una condición que compartíamos.

No sentía odio hacia él. Me aferraba a los recuerdos comunes. Fueron mi pequeño refugio. Si me pegaba con la mano izquierda, yo recordaba que fue con la que me acarició todo el cuerpo la segunda noche mientras me dormía.

Si me llamaba «maricón» o «desviado», recordaba el placer que aquella misma boca me había ofrecido las tres noches.

Una patada suya en mis costillas me hacía recordar cuando chupé cada uno de sus dedos del pie y cómo le gustaba.

Nada de lo que hiciera podría arrebatarme lo que habíamos compartido.

Las horas pasaron y llegó aquel día concreto, que de alguna manera era nuestro aniversario. El día que nos amamos por primera vez.

Fue la única vez que le hablé. No me dirigí a él directamente, lancé la frase a pocos metros, al vacío, a otra persona. Unas palabras que sé que él oiría. Escuchaban todo lo que decíamos o murmurábamos.

—*Hoy hace tres años que nos amamos.*

Después le miré y vi en sus ojos que él también se acordaba. Pensé que recibiría la peor de las palizas. Pero estaba equivocado, lo que vino a continuación fue algo diferente.

Le indicó a un soldado más joven que fuera a por mí y me cambiara de fila. No me llevaban hacia mi puesto de trabajo, sino a las duchas. Yo sabía lo que aquello significaba y él también.

Recordé que la primera vez que lo hicimos fue en el baño de su casa, duchándonos juntos, y de alguna manera mi fin sería en otra ducha. Acompañado de otros muchos, pero sin ser regados por esa agua que tanto ansiábamos.

Fui con el resto de los condenados hacia aquel barracón. Él seguía al grupo. Reconocí sus pasos; cuando conoces bien a alguien que has amado, nunca olvidas cómo se acerca o cómo se aleja.

Llegamos al barracón de las duchas y habló con el soldado encargado de introducirnos. Le dijo que esperara a que llegaran más presos.

Seguidamente me apuntó con su arma y me dijo que entrase. Así lo hice. Él me siguió. Estábamos los dos solos. El otro soldado no dijo nada, estaba acostumbrado a ver vendettas.

Y entramos en aquel edificio, una especie de gran ducha. Allí estábamos. Él fue hacia un control de mandos y apretó un botón. Pensé que había activado el gas y que me abandonaría al instante. Supongo que deseaba cerciorarse de que yo muriese. Pero no lo hizo, se quedó conmigo. Cerró la puerta por dentro, me miró y lloró. Tanto que olvidé las palizas que me había propinado durante todos aquellos meses. Yo lloré junto a él cuando el gas comenzó a salir.

Nos besamos. Hicimos el amor antes de perder el conocimiento. Su traje de militar y mi ropa de preso se fusionaron también en medio de la sala formando un mar de pieles artificiales. Me invadió un sentimiento de nostalgia. Recordé aquella frase que tanto decía mi madre: «La belleza siempre encuentra su camino...».

Casi en el orgasmo final noté cómo perdía el conocimiento. Y entonces Max pronunció mi nombre, Ben, como él solía hacerlo y sentí que hacía tanto tiempo que nadie lo decía con amor, con pasión y con deseo. Sentí que aquél era un buen final.

ESTE CUENTO ES EL FINAL DE MI HISTORIA
EN EL HOSPITAL CON MI GRUPO DE AMIGOS.
HE DECIDIDO USAR LOS NOMBRES REALES DE
LAS PERSONAS QUE CONOCÍ PORQUE ES EL MEJOR
HOMENAJE QUE PUEDO HACERLES.

ÉSTA ES LA HISTORIA DE MI VIDA Y DE LA QUE
MÁS ORGULLOSO ESTOY. DEBO CONTAR ESTE FINAL
PORQUE MUCHA GENTE ME PREGUNTA QUÉ FUE DE LEÓN
Y CREO QUE ÉL MERECE QUE SE CONOZCA SU FINAL.
CONTAR QUÉ FUE REALMENTE DE LEÓN, DEL PULSERA
MÁS BRAVO QUE HE CONOCIDO EN MI VIDA.

LA ÚNICA PULSERA ROJA QUE SOBREVIVIÓ
ES MI TESORO FAVORITO QUE SIEMPRE ME ACOMPAÑA.
ME LA DIERON CUANDO ME CORTARON LA PIERNA Y SIEMPRE
HA OLIDO A LEÓN, A SU FUERZA Y SU ENERGÍA.

ALBERT

«NO CAMBIAN LAS COSAS,
CAMBIAMOS NOSOTROS.»

HENRY DAVID THOREAU

Él era nuestro faro. Yo era el segundo líder, que hubiera podido ser el líder si él no hubiera existido.

Pero ésta no es una historia de Albert, sino que es la historia de cuando perdimos a León, el más fiero luchador que haya existido en la faz de la tierra.

En realidad se llamaba Leonardo, tenía mucho de Da Vinci, pero cuando combates contra el cáncer has de cambiarte el nombre, recortártelo, buscar la propia fuerza que existe dentro de ti. Y dentro de Leonardo estaba León.

Aquí está su final, lo que fue de León después de que supiese que tenía un tres por ciento de posibilidades de vivir y decidió que quería luchar.

No fue fácil, él quería irse para disfrutar de esos meses sin que nadie sufriese con su pérdida. Quería ponérnoslo fácil.

Pero al fin le convencimos. Todos lo hicimos. Y él tuvo claro que no debía luchar sólo por él, sino para distraer al cáncer y conseguir que otros se salvaran.

Ese consejo se lo había dado su padre hospitalario, George, un sabio que le enseñó que podía crear un grupo de amigos en el hospital y que jamás debía tirar la toalla; aún más, le dijo metafóricamente que jamás debía tener una toalla para lanzar.

George murió e imagino que ahora comparten algo en ese mundo nuevo que viven y disfrutan. Él fue un padre para todos, ir a su habitación era como sentirte sano y feliz. Había tenido veinte empleos, amor, sexo; una vida que quizá ninguno de nosotros lograríamos jamás.

Lo admiré mucho, aunque fue una posesión de León. Le pertenecía, pero todos hubiésemos querido tener nuestro propio George.

Aquel sabio le cuidó desde pequeño, evitó que jamás se rindiese y era el único que le podía convencer de cualquier cosa. Me dejó una carta por si moría y León tiraba la inexistente toalla. Ésa fue la gran conversación que tuvimos, un tesoro en toda regla.

Esto que os contaré es su tercera lucha. El asalto definitivo después de dos duros combates contra el cáncer.

No sé por dónde empezar. No quiero contar directamente el día que volvimos al hospital después del viaje que hicimos juntos para esparcir las cenizas de George.

Tampoco os quiero contar cuando se sometió a treinta nuevas tandas de quimio y le practicaron tres operaciones más. Creo que todo eso sólo es más de lo mismo, dolor que él superó con nota y con una sonrisa. Al fin y al cabo, sólo fueron más mordiscos.

Sí que os puedo asegurar que fueron unos meses en los que jamás estuvo solo. Cada operación, cada quimio, cada radiografía acompañada de una mala noticia eran arropadas por cada uno de nosotros, sus pulseras.

Yo sufrí con su enfermedad más que con cualquiera de los tres cánceres que tuve. Verle sufrir a él fue un dolor diferente, sólo comparable al que habitaba dentro de mis padres.

Jamás se sintió solo y no dejó de darnos consejos. No deseaba que nadie padeciese por su cercana marcha.

Ya sé por dónde empezaré, creo que os contaré lo que hizo que esa tercera lucha fuese tan épica. Y fue cuando ella, su amor, Gloria, tuvo el niño. El hijo de ambos nació justo el día que León poseía menos fuelle. El nacimiento insufló nueva vida a su padre.

Sí, ahí empezaré mi historia. Cuando nació el hijo de León y Gloria. Después de aquello, su vida viró. Se dio cuenta de que no deseaba esperar la muerte, no lo había hecho jamás y no lo haría ahora.

Supo que había un lugar donde hacían una terapia experimental. Era una isla apartada del mundo, cerca de un faro, donde iban los que ya no tenían oportunidades. Lo llamaban «el Hilton de la muerte», ibas allá para poder acabar feliz.

En aquel paraíso nunca había más de catorce chicos a la vez, te ayudaban a aliviar tu dolor y, sobre todo, a encontrar esa cura alternativa. León quería ir solo, a probar unos meses si funcionaba. Pero me parece que ni él se creía que le abandonaríamos.

León probó todos los tratamientos alternativos, pero sobre todo tuvo tiempo de tener, por primera vez, su propio hogar y volver a sentirse persona. La playa, el sol y la vida familiar que le ofreció aquel lugar era lo que necesitaba para despedirse del mundo.

Hacíamos excursiones a un volcán cercano, tallábamos figuras de pelones en madera, cuidábamos de un huerto... Todo eso fue reconfortante en muchos sentidos.

Los cuatro meses que pasamos en aquella idílica isla fueron sanadores y felices para todo su grupo de pulseras rojas. Cada uno de nosotros encontramos nuestro camino y pudimos aceptar lo que ocurriría.

Fue como pasar del rojo al azul. El mundo azul nació dentro de nosotros. Todos amamos nuestro propio caos.

Además, cada semana debíamos despedirnos de alguno de los chicos de aquella isla. Hacíamos una ceremonia preciosa, con fuegos artificiales que lanzábamos junto a sus cenizas, y sentíamos cómo la muerte se transformaba en vida.

Y sí... A León lo perdimos también. Al fin y al cabo, él no estaba hecho para sufrir por cosas banales de una vida normal, él sólo sabía luchar y debía morir en pleno combate.

Antes de morir me pidió que contase nuestra historia. Pensé que jamás lo lograría, que sería imposible. Pero si crees en los sueños, ellos se acaban creando.

El día que se fue yo me convertí en líder, pero también el resto de nosotros. Todos fuimos líderes a la vez. Era la magia del León «da Vinci».

Celebramos una fiesta en su honor y aquella noche nos sentimos únicos porque su muerte nos había hecho indestructibles. Aún me siento así, totalmente indestructible.

León es y seguirá siendo nuestro líder. Y es que la gente que te ilumina jamás muere dentro de ti.

Yo escribí una historia: *Pulseras rojas*, que hizo que León tuviera una vida bella en la pequeña pantalla y fuera inmortalizado en diferentes idiomas para que pudiese iluminar a toda una generación de niños que luchan contra el cáncer en todo el mundo.

Lo enterramos junto a todas nuestras pulseras. Pero en el último momento me quedé una porque sentí que algún día la necesitaría.

El resto de nuestras pulseras rojas reposa junto a León. Él fue el líder que creó aquella maravilla y debía guardarlas. Un líder que jamás olvidaremos porque los supervivientes no sólo son los que sobreviven, sino también los que murieron sin dejar de luchar un solo instante. Los supervivientes son los luchadores.

Nos repartimos su vida antes de marchar de aquella isla.

Me quedé con un 0,20 por ciento de esa gran vida. Con los años perdí a muchos otros leones por el camino, a muchos segundos líderes, a muchas chicas, a muchos guapos y a muchos imprescindibles. Pero en realidad los gané a todos dentro de mí; en total, son 3,7 vidas las que tengo dentro de mí. 3,7 vidas que me hicieron escribir nuestra historia y demostrar que los héroes no llevan capa, sino pulseras rojas.

Epílogo

Espero que los hayáis disfrutado. Todos los relatos, como habéis podido comprobar, tienen un aroma común. Y me imagino que os habréis dado cuenta de que todos están emparejados.

El chico que lee los subtítulos del corazón conoce a esa maravillosa espabilada que transita por este mundo con su silla de ruedas y su lengua afilada.

Aquel hombre que encuentra sombras que le hacen compañía no es otro que el chico solitario que da de beber al sediento en aquel patio.

Todos los relatos tienen su pareja. El chico que baila con maniquíes es el hermano de la chica especial que se enamora de su canguro.

Y así sucesivamente. No quiero fastidiaros el juego de encontrar las parejas, yo he disfrutado mucho recuperando a los personajes, principales y secundarios, en distintos momentos de sus vidas.

Creo que éste es uno de los libros que más he gozado escribiendo.

Cuando estaba en el hospital, mi madre me decía que si no podía dormirme, pensara en historias, y yo me imaginaba esos finales que merecían una historia. He soñado con publicar este libro durante años. Estas veinte historias son un verdadero sueño.

En realidad, después de descartar cientos de ellas, mi elección final la compusieron veintidós relatos, pero dos de ellos cayeron...

Uno, «Pentagramas con forma de autopistas» porque me parecía una buena historia para recuperarla en forma de libro. Y el otro, «Jordán», porque supongo que todavía no estoy preparado para publicarlo y quiero seguir disfrutándolo en privado.

Hay historias que te cuesta compartir porque gozas mucho releyéndolas cuando aún nadie las conoce. No descarto que algún día escriba otro libro de

Finales que merecen una historia y las leáis o, si me escribís por email y os entra curiosidad, también os los puedo mandar.

Para mí, todas estas historias hablan de inconformistas. Espero que leerlas os hayan dado fuerzas para seguir siendo uno de ellos. Jamás debemos conformarnos. Creo que todos los personajes buscan algo y, si luchan por ello, siempre les premio con un buen final.

Me da pena que se acabe este bello proyecto que he gozado tanto. Gracias por leerlo y, sobre todo, por imaginaros a cada personaje. Ahora, gracias a vosotros, están vivos, existen.

Si nos vemos algún día, ¿me contaréis vuestro final que merece una historia?

ALBERT ESPINOSA
Ciutadella, octubre de 2018